LA BONNE CUISINE

# Plats uniques

NOTE

Une cuillerée à soupe correspond à 15 à 20 g d'ingrédients secs
et à 15 ml d'ingrédients liquides. Une cuillerée à café correspond
à 3 à 5 g d'ingrédients secs et à 5 ml d'ingrédients liquides.
Sans autre précision, le lait est entier, les œufs sont de taille moyenne
et le poivre est du poivre noir fraîchement moulu.

Les temps de préparation et de cuisson des recettes pouvant varier
en fonction, notamment, du four utilisé, ils sont donnés
à titre indicatif.

La consommation des œufs crus ou peu cuits n'est pas recommandée
aux enfants, aux personnes âgées, malades ou convalescentes
et aux femmes enceintes.

# Sommaire

# Introduction

La cuisine peut être gratifiante mais aussi parfois se transforment en corvée, surtout lorsqu'elle vous laisse une montagne de vaisselle. Si vous êtes très occupé, vous tenez entre les mains la réponse à vos préoccupations !

Préparez vos plats en grande quantité et congelez-les en portions ; il ne vous restera plus qu'à les décongeler au four à micro-ondes et à utiliser le temps économisé pour vous détendre. Lorsqu'on travaille, il n'est pas toujours facile de tenir une maison et de cuisiner pour toute la famille ; ces recettes vous feront gagner un temps précieux.

Choisies pour le peu de plats salis et le peu de préparation qu'elles impliquent, elles vous faciliteront véritablement la vie. La plupart des plats se servent directement dans la cocotte où ils ont cuit, ce qui veut dire que vous n'avez ni casserole, ni poêle, ni plat de service à laver. Investissez dans une belle cocotte, vous pourrez l'utiliser lorsque vous aurez des invités, de plus, elle présente l'avantage de conserver la nourriture bien au chaud – inutile donc de préchauffer les assiettes.

# Cuisiner au mieux les plats uniques

La cuisine d'un seul plat donne son meilleur lorsque le mets principal est accompagné d'une salade verte, de crudités, de pâtes ou de riz. L'usage d'un assaisonnement prêt à l'emploi, ajouté en garniture ou bien simplement présenté à la table, suffit à modifier profondément les saveurs. Faites l'essai d'une sauce salade très parfumée telle qu'une sauce au bleu avec un plat de viande, ou bien d'un assaisonnement plus léger, par exemple une vinaigrette, avec une préparation de poulet ou un risotto.

Rien n'interdit de servir une salade d'accompagnement composée d'ingrédients plus inhabituels tels que fruits à écale, croûtons, agrumes ou lardons. Quelques quartiers d'orange ajouteront une saveur acidulée en même temps qu'une pointe de couleur vive. Servez ces salades augmentées

de fruits en accompagnement d'un plat de viande de porc ou de canard.

Les pignons, particulièrement s'ils sont grillés, offrent l'avantage de ne pas empiéter sur les saveurs des autres denrées. Les croûtons, aillés ou non, sont excellents pour une salade accompagnant un mets riche en saveur. Ajoutez-les juste avant de servir afin qu'ils conservent tout leur croustillant. Croûtons et lardons prêts à l'emploi garderont leurs saveurs dès lors qu'ils sont stockés

de façon adéquate.

De nombreuses espèces et variétés de salades vertes, aux formes, textures et saveurs originales, sont aujourd'hui disponibles sur les marchés. Optez par exemple pour l'arugula (roquette), la feuille de chêne, le radicchio, la mizuna ou le tatsoï, ou bien mélangez ces variétés avec des salades plus conventionnelles telles que romaine ou frisée. Vous pouvez également y ajouter des ingrédients tels que tomates, radis et betteraves pour une touche de couleur, ou d'autres tels que chou, échalotes et anchois pour un surplus de saveurs. Ouvrez vos placards et donnez libre cours à votre inspiration : miettes de thon, câpres, vinaigre balsamique ou parmesan râpé sont autant de solides candidats.

Il serait dommage d'oublier les herbes aromatiques ! Ajoutez un peu d'aneth à une salade de pommes de terre servie en accompagnement d'un mets de poisson, ou bien rehaussez une salade un peu terne à l'aide de quelques herbes fraîches finement hachées et d'un trait d'huile d'olive.

Plus consistantes, les salades de pâtes ou de riz tiendront parfaitement leur rang en plat unique. Mêlez-y les légumes frais contenus dans votre réfrigérateur et ajoutez pour bonne mesure œufs durs, cacahuètes, graines de tournesol et dés de fromage. Ici, l'improvisation est reine et la préparation du repas devient une véritable fête. Pommes de terre et haricots secs constituent également une base intéressante pour la confection d'une salade. Mélangez par exemple haricots rouges, cannellini italiens et flageolets blancs pour une préparation à la fois simple et délicieuse. Tomates, oignons et raisins secs forment une autre association intéressante.

Nombre d'assaisonnements pour salades sont très faciles à préparer, et la plupart se conservent bien au réfrigérateur. Leur saveur sera toujours supérieure à celle de la version prête à l'emploi achetée dans une grande surface. Une simple mayonnaise peut facilement être enrichie par l'ajout d'herbes aromatiques, voir même de miettes de bleu d'Auvergne s'il s'agit d'accompagner un succulent ragoût. De même, ciboulette et aneth hachés seront bienvenus dans un assaisonnement, si la salade complète un plat de volaille ou de poisson.

Le pain constitue également un excellent accompagnement, qui pourra aisément remplacer une salade s'il présente une saveur et une texture bien établies. Quelques tranches de pain de campagne bien croustillantes permettront d'éponger le jus des ragoûts et casseroles, et un grand nombre de variétés de pain méritent aujourd'hui leur place à la table des gourmets. La plupart de ces pains

peuvent être conservés jusqu'à trois mois au congélateur. Un grand nombre de supermarchés offrent aujourd'hui un vaste choix de pains étrangers. Ciabatta et focaccia, pains italiens souvent augmentés d'herbes aromatiques, conviennent de façon idéale pour l'accompagnement de riches plats en sauce. Quel que soit votre choix, prenez soin de conserver plusieurs variétés de pain dans votre congélateur : de cette façon, vous ne serez jamais prise au dépourvu.

Une simple baguette convient parfaitement pour la préparation de pain aillé. Beurre doux, ail, herbes aromatiques et sel et poivre suffiront pour la confection du beurre d'ail. Pratiquez plusieurs incisions dans la longueur de la baguette à l'aide d'un couteau bien aiguisé, puis étalez un peu du beurre d'ail dans chacune d'elles. Ce faisant, assurez-vous que le pain et le beurre

sont bien chauds, et évitez tout excès d'ail.

Pain et fromage sont précieux pour donner plus de consistance à un plat en sauce, et pour cet usage, le pain rassis vaut mieux que le pain frais ! Tranchez le pain en tranches épaisses et tapissez celles-ci d'une fine couche de beurre ou d'huile d'olive, puis de lamelles de fromage (cheddar, édam ou gruyère conviendront parfaitement). À la fin de la cuisson, disposez les tranches de pain sur le dessus de la préparation de façon à ce que la face inférieure baigne dans la sauce. Une autre solution consiste à placer une des ces tranches de pain au fond de chaque assiette creuse avant de servir le ragoût.

Si la soupe que vous prévoyez de servir en plat unique semble trop liquide, ajoutez-y un peu de pâté pour lui donner à la fois consistance et saveur. Cette petite astuce donnera

les meilleurs résultats avec des soupes très parfumées, par exemple à la tomate ou aux lentilles.

Enfin, pour apporter une touche d'élégance à une soupe de teinte foncée, servez la préparation dans de grandes assiettes creuses, versez une cuillerée de crème fraîche au centre de chaque assiette et utilisez un cure-dent pour dessiner un tourbillon à la surface du liquide.

# Viandes

Du jambon à la saucisse et du bœuf au porc, vous

êtes sûr de trouver dans ce chapitre un repas

simple à préparer, idéal en milieu de semaine ou si

vous voulez mitonner un petit plat pour vos invités. Ce chapitre recèle de

merveilleuses idées de soupes, de ragoûts, de currys et de sautés rapides à préparer.

Les plats préférés de votre petite famille sont certainement au rendez-vous, tels le

potage écossais (page 10) ou le chili con carne (page 34), de même que les

classiques incontournables comme le porc stroganov (page 42) et le biryani

d'agneau (page 59). Les plus curieux pourront satisfaire leurs envie de nouveauté

avec, par exemple, le lapin maltais au fenouil (page 36). En bref, tout est possible

avec des recettes qui plairont aux enfants, d'autres qui conviendront à merveille aux

grandes occasions, des petits plats pour l'hiver, des déjeuners légers pour l'été, et,

enfin, des plats épicés et exotiques, venus du monde entier.

# potage écossais

## 4 à 6 personnes

60 g d'orge perlé

300 g d'agneau maigre
(épaule ou collier), désossé,
dégraissé et coupé en dés
de 1 cm

750 ml d'eau

2 gousses d'ail, finement hachées

1 litre de bouillon de poulet
ou de bœuf

1 oignon, finement haché

1 feuille de laurier

1 gros poireau, coupé en quatre
dans la longueur et émincé

2 grosses carottes, coupées en dés

1 panais, coupé en dés

125 g de rutabaga, coupé en dés

sel et poivre

2 cuil. à soupe de persil frais haché

1 Rincer l'orge à l'eau courante, mettre dans une casserole et couvrir généreusement d'eau. Porter à ébullition à feu moyen, laisser bouillir 3 minutes en écumant la surface et retirer la casserole du feu. Couvrir et réserver.

2 Dans une autre casserole, mettre l'agneau et l'eau, et porter à ébullition en écumant la surface.

3 Incorporer l'ail, l'oignon, le bouillon et la feuille de laurier, réduire le feu et cuire 15 minutes à demi couvert.

4 Égoutter l'orge, ajouter à la soupe avec le poireau, les carottes, le panais et le rutabaga, et laisser mijoter 1 heure en remuant de temps en temps, jusqu'à ce que l'agneau et les légumes soient bien tendres.

5 Saler et poivrer selon son goût, incorporer le persil et servir.

## CONSEIL

Pour réduire le nombre de calories, vous pouvez préparer la soupe à l'avance et bien la laisser refroidir, de façon à pouvoir la dégraisser à l'aide d'une écumoire avant de la réchauffer.

# soupe au chou et à la saucisse

## 6 personnes

350 g de saucisse assaisonnée

2 cuil. à café d'huile

1 oignon, finement haché

1 poireau, coupé dans la longueur
et éminé

2 carottes, coupées en deux
et finement émincées

400 g de tomates concassées
en boîte

350 g de chou, ciselé

1 ou 2 gousses d'ail, finement
hachées

1 pincée de thym haché

1,5 l de bouillon de poulet
ou de viande

sel et poivre

parmesan fraîchement râpé,
en garniture

### VARIANTE

Si vous n'avez pas de bouillon
frais à disposition, utilisez
de l'eau avec un bouillon cube.
Ajoutez un peu plus d'oignons
et d'ail ainsi qu'un bouquet garni
(retirez-le avant de servir).

1 Mettre la saucisse dans une casserole, couvrir d'eau et porter à ébullition. Réduire le feu, laisser mijoter jusqu'à ce qu'elle soit ferme et égoutter. Laisser refroidir, peler et couper en rondelles.

2 Dans un faitout, chauffer l'huile, ajouter l'oignon, le poireau et les carottes, et cuire 3 à 4 minutes en remuant fréquemment, jusqu'à ce que les oignons soient tendres.

3 Ajouter la saucisse, les tomates, le chou, l'ail et le thym, mouiller avec le bouillon et porter à ébullition. Réduire le feu, cuire 40 minutes à demi couvert, jusqu'à ce que les légumes soient tendres.

4 Rectifier l'assaisonnement, répartir dans des bols chauds et servir, garni de parmesan fraîchement râpé.

# soupe d'hiver au bœuf et aux légumes

## 4 personnes

60 g d'orge perlé

1,2 l de bouillon de bœuf

1 cuil. à soupe d'herbes
de Provence

225 g de bœuf maigre
(culotte ou aloyau)

1 grande carotte, coupée en dés

1 poireau, émincé

2 branches de céleri, émincées

2 cuil. à soupe de persil frais haché

1 oignon, haché

sel et poivre

pain frais, en accompagnement

### VARIANTE

Cette soupe est également
délicieuse avec du filet maigre
d'agneau ou de porc.
Vous pouvez également
remplacer le bœuf et le bouillon
de bœuf par du bouillon
de légumes. Dans ce cas, avant
de servir, ajoutez 175 g de tofu
coupé en dés. Pour une soupe
encore plus consistante, ajoutez
d'autres racines telles que
des rutabagas et des navets, en
plus ou à la place de la carotte.

1 Mettre l'orge dans une casserole,
ajouter le bouillon et les fines
herbes et porter à ébullition. Couvrir
et cuire 10 minutes à feu doux.

2 À l'aide d'un couteau tranchant,
dégraisser le bœuf et couper
en fines lanières.

3 Écumer la surface du bouillon
à l'aide d'une écumoire.

4 Ajouter le bœuf, la carotte,
le poireau, l'oignon et le céleri,
porter de nouveau à ébullition

et couvrir. Cuire 20 minutes à feu doux,
jusqu'à ce que la viande et les légumes
soient tendres.

5 Écumer de nouveau le bouillon,
dégraisser à l'aide de papier
absorbant et saler et poivrer selon
son goût.

6 Répartir la soupe dans
des bols chauds, parsemer
de persil fraîchement haché et servir
accompagné de pain frais.

# soupe au bœuf et au maïs

## 4 à 6 personnes

225 g de tomates

2 épis de maïs frais

1 carotte, finement émincée

1 oignon, finement haché

1 ou 2 petites pommes de terre
    farineuses, coupées en dés

¼ de chou, finement ciselé

1 litre de bouillon de bœuf

¼ de cuil. à café de cumin en poudre

¼ de cuil. à café de poudre
    de piment doux

¼ de cuil. à café de paprika

225 g de bœuf cuit, coupé en dés

3 à 4 de cuil. à soupe de coriandre
    hachée (facultatif)

salsa, en accompagnement

1 Mettre les tomates dans une terrine résistant à la chaleur, couvrir d'eau bouillante et laisser reposer 30 secondes. Égoutter, plonger dans de l'eau froide et peler les tomates. Concasser la chair.

2 À l'aide d'un couteau tranchant, couper les épis de maïs en rondelles de 2,5 cm d'épaisseur.

3 Mettre les tomates, la carotte, l'oignon, les pommes de terre, le chou et le bouillon dans un faitout, porter à ébullition et réduire le feu. Laisser mijoter 10 à 15 minutes, jusqu'à ce que les légumes soient tendres.

### CONSEIL

Pour épaissir la soupe et lui donner la saveur du plat mexicain connu sous le nom de tamale, ajoutez quelques cuillerées de masa harina (maïs moulu) mélangées avec un peu d'eau, au maïs, aux épices et au bœuf. Mélangez bien et faites cuire jusqu'à ce que la soupe prenne une consistance plus épaisse.

4 Ajouter le maïs, le cumin, la poudre de piment, le paprika et le bœuf, et porter de nouveau à ébullition à feu moyen.

5 Répartir dans des bols chauds, parsemer de coriandre et servir, accompagné de salsa.

# soupe de bœuf aux châtaignes et au riz

## 4 personnes

350 g de bœuf maigre
(culotte ou aloyau)
1 litre de bouillon de bœuf
1 bâton de cannelle, brisé
2 anis étoilés
2 cuil. à soupe de sauce de soja
2 cuil. à soupe de xérès sec
3 cuil. à soupe de concentré
de tomates
115 g de châtaignes d'eau
en boîte, égouttées
1 cuil. à soupe de zeste d'orange râpé
175 g de riz blanc, cuit
6 cuil. à soupe de jus d'orange
sel et poivre
GARNITURE
lanières de zeste d'orange
2 cuil. à soupe de ciboulette ciselée

### VARIANTE

Sans riz, la soupe est plus légère,
idéale en entrée d'un repas
oriental. Pour une soupe plus
consistante, ajoutez des légumes
coupés en dés, comme
une carotte, un poivron,
une courgette ou du maïs.

1 Dégraisser le bœuf, couper
en fines lanières et mettre
dans une casserole avec le bouillon.

2 Ajouter la cannelle, l'anis étoilé,
la sauce de soja, le xérès, le
concentré de tomates et les châtaignes
d'eau, porter à ébullition et écumer
la surface. Couvrir et cuire 20 minutes
à feu doux, jusqu'à ce que le bœuf
soit tendre.

3 Écumer de nouveau, jeter
la cannelle et l'anis étoilé,
et dégraisser à l'aide de papier
absorbant.

4 Incorporer le riz, le zeste et le jus
d'orange, saler et poivrer selon
son goût et réchauffer 2 à 3 minutes.
Répartir dans des bols chauds
et garnir de lanières de zeste d'orange
et de ciboulette ciselée.

# soupe de pommes de terre au bœuf

## 4 personnes

2 cuil. à soupe d'huile

225 g de bifteck ou de bœuf
à braiser, coupé en lanières

225 g de pommes de terre
nouvelles, coupées en deux

1 carotte, coupée en dés

2 branches de céleri, émincées

2 poireaux, émincés

850 ml de bouillon de bœuf

8 mini-épis de maïs, émincés

1 bouquet garni

2 cuil. à soupe de xérès sec

sel et poivre

persil frais haché, en garniture

pain frais, en accompagnement

### CONSEIL

En doublant les quantités, vous
pouvez congeler la moitié de la
soupe dans un récipient rigide.
Dans ce cas, laissez-la
décongeler dans le réfrigérateur
avant de la faire réchauffer.

1 Dans un faitout, chauffer l'huile,
ajouter la viande et faire revenir
3 minutes sans cesser de remuer.

2 Ajouter les pommes de terre,
la carotte, le céleri et les poireaux,
et cuire encore 5 minutes sans cesser
de remuer.

3 Mouiller avec le bouillon, porter
à ébullition à feu moyen et réduire
le feu. Laisser mijoter et ajouter les épis
de maïs et le bouquet garni.

4 Cuire la soupe encore 20 minutes,
jusqu'à ce que la viande
et les légumes soient bien cuits.

5 Retirer le bouquet du faitout,
incorporer le xérès et saler
et poivrer selon son goût. Répartir
la soupe dans des bols chauds,
garnir de persil frais haché et servir
immédiatement, accompagné
de pain frais.

# soupe au veau et au jambon

## 4 personnes

4 cuil. à soupe de beurre

1 oignon, coupé en dés

1 carotte, coupée en dés

1 branche de céleri, coupée en dés

450 g de veau, très finement
émincé

450 g de jambon, très finement
émincé

40 g de farine

1 litre de bouillon de bœuf

1 feuille de laurier

8 grains de poivre noir

1 pincée de sel

3 cuil. à soupe de gelée de groseille

150 ml de xérès doux

100 g de vermicelle

croûtons à l'ail, en garniture

### CONSEIL

Pour faire les croûtons à l'ail,
coupez 3 tranches de pain sec
et coupez-les en dés. Faites
revenir 1 à 2 gousses d'ail dans
3 cuillerées à soupe d'huile 1 à
2 minutes, retirez l'ail et faites
cuire le pain sans cesser de
remuer, jusqu'à ce qu'il soit doré.

1 Dans une poêle, faire fondre le
beurre, ajouter l'oignon, la carotte,
le céleri, le veau et le jambon, et cuire
6 minutes à feu doux.

2 Saupoudrer de farine, cuire
2 minutes sans cesser de remuer
et mouiller progressivement avec
le bouillon. Ajouter la feuille de laurier,
les grains de poivre et le sel, porter
à ébullition et laisser mijoter 1 heure.

3 Retirer la casserole du feu,
incorporer la gelée de groseille
et le xérès, mélanger et réserver
4 heures.

4 Retirer la feuille de laurier et
réchauffer la soupe à feu doux.
Porter une casserole d'eau salée à
ébullition, ajouter le vermicelle et cuire
10 à 12 minutes, jusqu'à ce qu'il soit
juste tendre. Incorporer à la soupe,
répartir dans des bols chauds et servir,
garni de croûtons.

# bouillon de veau toscan

## 4 personnes

60 g de pois cassés, trempés 2 heures
dans de l'eau froide et égouttés

900 g de collier de veau, désossé
et coupé en dés

1,2 l de bouillon de bœuf

600 ml d'eau

60 g d'orge, lavé

1 grosse carotte, coupée en dés

1 petit navet (175 g environ), coupé
en dés

1 gros poireau, haché

1 oignon rouge, finement haché

100 g de tomates, concassées

1 brin de basilic frais

100 g de vermicelle sec

sel et poivre blanc

2 Ajouter l'orge et 1 pincée de sel,
et laisser mijoter 25 minutes.

3 Ajouter la carotte, le navet,
le poireau, les tomates, l'oignon
et le basilic, saler et poivrer selon
son goût et laisser mijoter 2 heures,
en écumant de temps en temps.
Retirer du feu et réserver 2 heures.

4 Remettre sur le feu, porter à
ébullition à feu moyen et ajouter
le vermicelle. Cuire 12 minutes, saler
et poivrer selon son goût et retirer
le basilic. Répartir dans des bols chauds
et servir immédiatement.

1 Mettre les pois cassés, le veau,
le bouillon et l'eau dans
une casserole, porter à ébullition à feu
doux et écumer la surface.

# bouillon de porc à la chinoise

## 4 personnes

1 litre de bouillon de poulet

2 grosses pommes de terre,
  coupées en dés

2 cuil. à soupe de vinaigre de riz

2 cuil. à soupe de maïzena

4 cuil. à soupe d'eau

125 g de filet de porc, coupé
  en lanières

1 cuil. à soupe de sauce de soja claire

1 cuil. à café d'huile de sésame

1 carotte, coupée en fine julienne

1 cuil. à café de gingembre haché

3 oignons verts, finement émincés

1 poivron rouge, émincé

225 g de pousses de bambou

### CONSEIL

Pour plus de piquant, ajoutez
1 piment rouge haché
ou 1 cuillerée à café de poudre
de piment à l'étape 5.

1 Dans une casserole, mettre le bouillon, ajouter les pommes de terre et 1 cuillerée à soupe de vinaigre, et porter à ébullition. Réduire le feu et laisser frémir à feu doux.

2 Délayer la maïzena dans l'eau et incorporer dans la casserole.

3 Porter de nouveau à ébullition sans cesser de remuer jusqu'à ce que le bouillon épaississe, réduire le feu et laisser mijoter à feu doux.

4 Disposer les lanières de porc dans un plat, verser le vinaigre restant, la sauce de soja et l'huile de sésame en filet, et mélanger.

5 Ajouter les lanières de porc, la carotte et le gingembre dans la casserole, cuire 10 minutes et incorporer les oignons verts, le poivron et les pousses de bambou. Cuire encore 5 minutes, répartir dans des bols chauds et servir immédiatement.

# chili de porc

## 3 personnes

2 cuil. à café d'huile d'olive

500 g de porc maigre, haché

sel et poivre

1 oignon, finement haché

1 branche de céleri, finement hachée

1 poivron, épépiné et haché

2 ou 3 gousses d'ail, hachées

400 g de tomates concassées
   en boîte

3 cuil. à soupe de concentré
   de tomates

500 ml de bouillon de poulet
   ou de bœuf

¼ de cuil. à café de coriandre
   en poudre

¼ de cuil. à café de cumin
   en poudre

¼ de cuil. à café d'origan séché

1 cuil. à café de poudre de piment
   doux

coriandre fraîche ou persil hachés,
   en garniture

crème aigre, en accompagnement

### CONSEIL

Pour une présentation plus
festive, ajoutez du fromage râpé,
des oignons verts émincés et du
guacamole en accompagnement.

**1** Dans un faitout, chauffer l'huile à feu modéré, ajouter le porc et saler et poivrer selon son goût. Cuire en remuant fréquemment jusqu'à ce que la viande ne soit plus rosée, réduire le feu et ajouter l'oignon, l'ail, le céleri et le poivron. Couvrir et cuire 5 minutes en remuant de temps en temps, jusqu'à ce que l'oignon soit tendre.

**2** Ajouter les tomates et le concentré de tomates, mouiller avec le bouillon et incorporer la coriandre, le cumin, l'origan et la poudre de piment. Saler et poivrer selon son goût.

**3** Porter au point d'ébullition, réduire le feu et couvrir. Laisser mijoter à feu doux 30 à 40 minutes, jusqu'à ce que les légumes soient tendres, rectifier l'assaisonnement et ajouter de la poudre de piment selon son goût.

**4** Répartir dans des assiettes à soupe chaudes, garnir de coriandre et servir la crème aigre séparément ou déposer une cuillerée au centre de chaque assiette.

# soupe d'agneau épicée aux courgettes

## 4 à 5 personnes

1 à 2 cuil. à soupe d'huile d'olive

450 g d'agneau maigre (épaule
   ou collier), désossé, dégraissé
   et coupé en dés de 1 cm

1 oignon, finement haché

2 ou 3 gousses d'ail, hachées

1 litre d'eau

400 g de tomates concassées
   en boîte, avec le jus

1 feuille de laurier

½ cuil. à café de thym séché

½ cuil. à café d'origan séché

1 pincée de cannelle en poudre

¼ de cuil. à café de cumin
   en poudre

¼ de cuil. à café de curcuma

1 cuil. à café de harissa

400 g de pois cassés en boîte,
   rincés et égouttés

1 carotte, coupée en dés

1 pomme de terre, coupée
   en dés

1 courgette, coupée en quatre
   dans la longueur et émincée

130 g de petits pois,
   décongelés si nécessaire

sel et poivre

menthe fraîche ou coriandre
   hachées, en garniture

**1** Dans une cocotte, chauffer l'huile à feu moyen, ajouter l'agneau et cuire en plusieurs fois à feu vif en remuant de temps en temps jusqu'à ce qu'il soit uniformément doré et en ajoutant de l'huile si nécessaire. Retirer l'agneau à l'aide d'une écumoire et réserver.

**2** Réduire le feu, ajouter l'oignon et l'ail, et cuire 1 à 2 minutes en remuant fréquemment.

**3** Ajouter l'eau et l'agneau, laisser mijoter en écumant la surface et réduire le feu. Incorporer les tomates, la feuille de laurier, le thym, l'origan, la cannelle, le cumin, le curcuma et la harissa, laisser mijoter 1 heure à feu doux, jusqu'à ce que la viande soit tendre, et retirer la feuille de laurier.

**4** Incorporer les pois cassés, la carotte et la pomme de terre, cuire encore 15 minutes à feu doux et ajouter la courgette et les petits pois. Cuire encore 15 à 20 minutes à feu doux, jusqu'à ce que tous les légumes soient tendres.

**5** Saler et poivrer selon son goût, répartir dans des assiettes à soupe chaudes et garnir de menthe. Servir immédiatement.

# ragoût de bœuf aux cèpes

## 4 personnes

1 cuil. à soupe d'huile

1 cuil. à soupe de beurre

225 g d'oignons grelots, pelés
   et coupés en deux

600 g de bœuf à braiser, coupé
   en cubes de 4 cm

300 ml de bouillon de bœuf

160 ml de vin rouge

4 cuil. à soupe d'origan frais
   haché

1 cuil. à soupe de sucre

1 orange

25 g de cèpes séchés

4 cuil. à soupe d'eau, chaude

225 g de tomates olivettes fraîches

pommes de terre ou riz cuits,
   en accompagnement

### VARIANTE

À la place des tomates olivettes,
utilisez 8 tomates séchées au
soleil, coupées en larges lanières.

1 Préchauffer le four à 180 °C (th. 6).
Dans une poêle, chauffer l'huile
et le beurre, ajouter les oignons et cuire
5 minutes à feu moyen, jusqu'à ce qu'ils
soient dorés. Retirer les oignons à l'aide
d'une écumoire et réserver au chaud.

2 Ajouter le bœuf et cuire 5 minutes
en remuant fréquemment, jusqu'à
ce qu'ils soient dorés uniformément.

3 Remettre les oignons dans
la poêle, mouiller avec le bouillon
et le vin, et ajouter l'origan et le sucre.
Remuer et transférer la préparation
obtenue dans une cocotte.

4 À l'aide d'un couteau tranchant,
couper le zeste de l'orange
en fines lanières, ajouter dans
la cocotte et cuire au four préchauffé,
1 h 15.

5 Faire tremper les cèpes 30 minutes
dans l'eau chaude.

6 Peler les tomates olivettes, couper
en deux et ajouter dans la cocotte
avec les cèpes et leur eau de trempage.
Cuire au four préchauffé encore
20 minutes, jusqu'à ce que la viande
soit bien tendre, et servir accompagné
de pommes de terre ou de riz.

# curry de bœuf à l'orange

## 4 personnes

1 cuil. à soupe d'huile

225 g d'échalotes, coupées en deux

2 gousses d'ail, hachées

450 g de bœuf (culotte ou aloyau),
   dégraissé et coupé en dés
   de 2 cm

3 cuil. à soupe de pâte de curry

450 ml de bouillon de bœuf

4 oranges moyennes

2 cuil. à café de maïzena

2 cuil. à soupe de coriandre hachée,
   en garniture

riz basmati, cuit à l'eau,
   en accompagnement

sel et poivre

RAÏTA

½ concombre, coupé en dés

3 cuil. à soupe de menthe fraîche
   hachée

150 ml de yaourt nature allégé

1 Dans une casserole, chauffer l'huile, ajouter les échalotes, l'ail et le bœuf, et faire revenir 5 minutes en remuant de temps en temps, jusqu'à ce que le bœuf soit doré.

2 Mélanger la pâte de curry et le bouillon, verser dans la casserole et porter à ébullition. Couvrir et laisser mijoter 1 heure, jusqu'à ce que la viande soit tendre.

3 Râper le zeste d'une orange et la presser, presser une deuxième orange et peler les deux oranges restantes. Détailler chaque quartier et retirer la peau blanche.

4 Délayer la maïzena dans le jus d'orange, ajouter dans la casserole avec le zeste et porter à ébullition. Cuire à feu doux 3 à 4 minutes sans cesser de remuer, jusqu'à ce que la sauce épaississe, saler et poivrer selon son goût et incorporer les quartiers d'oranges.

5 Pour le raïta, mélanger la menthe et le concombre, ajouter le yaourt en remuant et saler et poivrer selon son goût. Garnir de coriandre et servir accompagné de riz et de raïta.

# gratin aux tomates et au bœuf

## 4 personnes

- 350 g de bœuf haché
- 1 gros oignon, finement haché
- 1 cuil. à café d'herbes de Provence séchées
- 1 cuil. à soupe de farine
- 300 ml de bouillon de bœuf
- 1 cuil. à soupe de concentré de tomates
- sel et poivre
- 2 grosses tomates, coupées en fines rondelles
- 4 courgettes, coupées en fines rondelles
- 2 cuil. à soupe de maïzena
- 300 ml de lait écrémé
- 175 g de ricotta
- 1 jaune d'œuf
- 200 g de parmesan, fraîchement râpé
- pain frais et légumes à la vapeur, en accompagnement

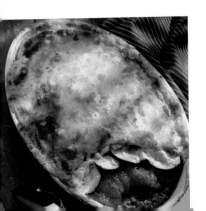

1 Préchauffer le four à 190 °C (th. 6-7). Dans une poêle à fond épais, faire revenir le bœuf et l'oignon 4 à 5 minutes à feu doux en remuant fréquemment, jusqu'à ce que la viande soit bien cuite.

2 Ajouter les herbes de Provence, la farine et le concentré, mouiller avec le bouillon et saler et poivrer selon son goût. Porter à ébullition, réduire le feu et laisser mijoter 30 minutes, jusqu'à ce que le mélange épaississe.

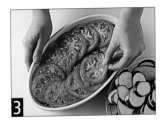

3 Répartir le mélange dans un plat allant au four, couvrir de rondelles de tomates et garnir de rondelles de courgettes.

4 Délayer la maïzena dans du lait de façon à obtenir une pâte lisse, verser le lait restant dans une casserole et porter à ébullition. Ajouter la pâte de maïzena, cuire 1 à 2 minutes, jusqu'à ce que le mélange épaississe, et retirer du feu. Incorporer la ricotta et le jaune d'œuf, et saler et poivrer selon son goût.

5 Napper les courgettes de la préparation obtenue, saupoudrer de parmesan râpé et disposer le plat sur une plaque de four. Cuire au four préchauffé, 25 à 30 minutes, jusqu'à ce que le gratin soit doré et servir immédiatement, accompagné de légumes cuits à la vapeur et de pain.

# bœuf mexicain

## 4 à 6 personnes

3 cuil. à soupe de farine

sel et poivre

1 kg de bœuf à braiser, coupé
en gros cubes

2 cuil. à soupe d'huile

400 g de tomates, coupées en dés

1 piment chipotle ½ séché,
réhydraté, épépiné et coupé
en fines lanières, ou un filet
de sauce au piment chipotle
en bouteille

2 oignons, hachés

5 gousses d'ail, hachées

1,5 l de bouillon de bœuf

350 g de haricots verts

1 pincée de sucre

ACCOMPAGNEMENT

haricots, cuits

riz, cuit

### CONSEIL

De façon traditionnelle,
ce plat est confectionné avec
des rameaux de nopal (nopales),
ce qui lui donne une saveur
très particulière. Les nopales
sont vendus dans certains
magasins spécialisés. Pour
cette recette, 350 à 400 g
de nopales frais ou en boîte
sont nécessaires.

1 Mettre la farine dans une terrine,
saler et poivrer selon son goût
et ajouter le bœuf. Remuer pour bien
enrober, retirer et secouer pour éliminer
l'excédent de farine.

2 Dans une sauteuse, chauffer
l'huile, ajouter le bœuf et faire
dorer à feu vif. Réduire le feu, ajouter
l'ail et l'oignon, et cuire 2 minutes.

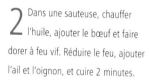

3 Ajouter les tomates et le piment,
mouiller avec le bouillon et couvrir.
Cuire 1 h 15 à feu doux, jusqu'à ce
que la viande soit bien tendre, ajouter
le sucre et les haricots verts, et écumer
la surface. Cuire encore 15 minutes.

4 Répartir dans des bols chauds
et servir accompagné de haricots
et de riz.

# bœuf mijoté aux épices

## 4 personnes

300 ml d'huile

3 oignons moyens, finement hachés

1 morceau de gingembre frais
de 2,5 cm, émincé

4 gousses d'ail, hachées

2 bâtons de cannelle

3 graines de cardamome verte

3 clous de girofle

4 grains de poivre noir

6 piments rouges séchés

160 ml de yaourt nature

450 g de bœuf maigre, coupé en dés

3 piments verts frais, hachés

600 ml d'eau

coriandre fraîche, hachée

### VARIANTE

Remplacez le filet de bœuf
par du filet d'agneau.

1 Dans une poêle à fond épais, chauffer l'huile, ajouter les oignons et faire revenir jusqu'à ce qu'ils soient bien dorés.

2 Réduire le feu, ajouter l'ail, le gingembre, la cannelle, la cardamome, les clous de girofle, les grains de poivre noir et les piments rouges, et faire revenir 5 minutes. Mettre le yaourt dans une terrine, battre à l'aide d'une fourchette et incorporer à la préparation à base d'oignons.

3 Ajouter la viande et 2 piments verts, et cuire 5 à 7 minutes.

4 Mouiller progressivement avec l'eau, mélanger et couvrir. Cuire 1 heure en remuant fréquemment et en ajoutant un peu d'eau si nécessaire.

5 Retirer la poêle du feu, transférer la préparation dans un plat de service et garnir de piment vert et de coriandre fraîche.

# osso bucco aux zestes d'agrumes

## 6 personnes

1 à 2 cuil. à soupe de farine

sel et poivre

6 tranches épaisses de jarret
   de veau

1 kg de tomates fraîches, pelées,
   épépinées et concassées,
   ou 800 g de tomates concassées
   en boîte

1 à 2 cuil. à soupe d'huile d'olive

250 g d'oignons, très finement
   hachés

250 g de carottes, coupées en dés

240 ml de vin blanc sec

240 ml de bouillon de veau

6 grandes feuilles de basilic,
   ciselées

1 grosse gousse d'ail, très finement
   hachée

zeste râpé d'un gros citron

zeste râpé d'une orange

2 cuil. à soupe de persil plat frais
   haché

**1** Mettre la farine dans un sac en plastique, saler et poivrer selon son goût et ajouter une tranche de veau. Secouer jusqu'à ce que la viande soit bien enrobée, répéter l'opération avec les tranches restantes et secouer la viande de façon à éliminer l'excédent de farine. Réserver.

**2** Rincer et égoutter les tomates en boîte dans une passoire non métallique.

**3** Dans une cocotte, chauffer 1 cuillerée à soupe d'huile, ajouter le veau et faire revenir 10 minutes de chaque côté, jusqu'à ce qu'il soit doré. Retirer de la cocotte et réserver.

**4** Verser 1 à 2 cuillerées à café d'huile dans la cocotte, ajouter l'oignon et faire revenir 5 minutes sans cesser de remuer, jusqu'à ce qu'il soit tendre. Incorporer les carottes et cuire jusqu'à ce qu'elles soient tendres.

**5** Ajouter les tomates, le basilic et le veau, mouiller avec le vin et le bouillon, et porter à ébullition. Réduire le feu, couvrir et laisser mijoter 1 heure, jusqu'à ce que la viande soit tendre.

**6** Parsemer de zeste d'orange et de citron, ajouter l'ail et couvrir. Cuire encore 10 minutes à feu doux.

**7** Rectifier l'assaisonnement, parsemer de persil haché et servir immédiatement.

# chili con carne

## 4 personnes

750 g de bœuf maigre

1 gros oignon, émincé

2 à 4 gousses d'ail, hachées

1 cuil. à soupe de farine

500 ml de jus de tomates

400 g de tomates en boîte

1 à 2 cuil. à soupe de sauce
    au piment

1 cuil. à café de cumin en poudre

sel et poivre

425 g de haricots rouges, égouttés

½ cuil. à café d'origan séché

1 à 2 cuil. à soupe de persil frais
    haché

fines herbes, en garniture

riz cuit et tortillas,
    en accompagnement

2 Ajouter l'oignon et l'ail, cuire jusqu'à ce qu'ils soient dorés et ajouter la farine. Cuire 1 à 2 minutes, mouiller avec le jus de tomates et ajouter les tomates. Porter à ébullition, ajouter le bœuf, la sauce au piment et le cumin, et saler et poivrer selon son goût. Couvrir et cuire au four préchauffé, 1 h 30, jusqu'à ce que la viande soit tendre.

3 Incorporer les haricots, l'origan et le persil, rectifier l'assaisonnement et couvrir. Cuire au four préchauffé encore 45 minutes, parsemer de fines herbes et servir accompagné de riz et de tortillas.

### CONSEIL

Le chili con carne est long à préparer. Pour gagner du temps, vous pouvez préparer le double des quantités et congeler la moitié de la préparation restante.

1 Préchauffer le four à 160 °C (th. 5-6). Couper le bœuf en dés de 2 cm, chauffer l'huile dans un faitout et ajouter le bœuf. Cuire jusqu'à ce qu'il soit doré et retirer du faitout.

# ragoût de lapin à la polenta

## 4 personnes

beurre, pour graisser

300 g de polenta

1 cuil. à soupe de gros sel

1,25 l d'eau

4 cuil. à soupe d'huile d'olive

2 kg de lapin, découpé aux jointures

3 gousses d'ail, pelées

3 échalotes, émincées

160 ml de vin rouge

1 carotte, émincée

1 branche de céleri, émincée

2 feuille de laurier

1 brin de romarin frais

3 tomates, pelées et épépinées

50 g d'olives noires, dénoyautées

1,5 l d'eau

sel et poivre

2 Dans une casserole, chauffer l'huile, ajouter le lapin, l'ail et les échalotes, et cuire 10 minutes, jusqu'à ce que le tout soit doré.

3 Mouiller avec le vin et cuire encore 5 minutes.

4 Ajouter la carotte, le céleri, le laurier, le romarin, les tomates et les olives, mouiller avec l'eau et couvrir. Laisser mijoter 45 minutes, jusqu'à ce que le lapin soit tendre, et saler et poivrer selon son goût. Disposer une part de polenta sur chaque assiette, garnir de ragoût de lapin et servir immédiatement.

1 Préchauffer le four à 190 °C (th. 6-7) et beurrer un plat allant au four. Mélanger la polenta, le sel et l'eau dans une casserole, porter à ébullition et laisser bouillir 10 minutes sans cesser de remuer. Transférer la polenta dans le plat et cuire 40 minutes au four préchauffé.

# lapin maltais au fenouil

## 4 personnes

5 cuil. à soupe d'huile d'olive

2 gros bulbes de fenouil, émincés

2 carottes, coupées en dés

1 gousse d'ail, hachée

1 cuil. à soupe de graines de fenouil

4 cuil. à soupe de farine

sel et poivre

2 lapins, découpés aux jointures

250 ml de vin blanc

250 ml d'eau

1 bouquet garni : 2 brins de persil
plat frais, 1 brin de romarin frais
et 1 feuille de laurier liés
à 1 branche ( 7 à 8 cm de céleri)

pain frais, en accompagnement

GARNITURE

persil plat frais, ciselé

brins de romarin frais

**1** Dans une cocotte, chauffer 3 cuillerées à soupe d'huile à feu moyen, ajouter le fenouil et les carottes, et faire revenir 5 minutes en remuant de temps en temps. Ajouter l'ail et les graines de fenouil, cuire 2 minutes, jusqu'à ce que le fenouil soit tendre, et retirer les carottes et le fenouil de la cocotte. Réserver.

**2** Mettre 4 cuillerées à soupe de farine dans un sac plastique, saler et poivrer selon son goût et ajouter 2 morceaux de lapin. Secouer jusqu'à ce que la viande soit bien enrobée, répéter l'opération avec le poulet restant et secouer de façon à retirer l'excédent de farine. Réserver.

**3** Ajouter l'huile restante et le lapin dans la cocotte, cuire en plusieurs fois 5 minutes de chaque côté et retirer de la cocotte à l'aide d'une écumoire.

**4** Mouiller avec le vin, porter à ébullition sans cesser de remuer et ajouter le lapin, le fenouil et les carottes. Verser l'eau, ajouter le bouquet garni et saler et poivrer selon son goût.

**5** Porter à ébullition, réduire le feu et couvrir. Laisser mijoter 1 h 15, jusqu'à ce que le lapin soit tendre.

**6** Retirer le bouquet garni, parsemer de fines herbes et servir accompagné de pain frais.

# porc aux oignons grelots

## 4 personnes

2 gros jarrets de porc

2 grosses gousses d'ail, émincées

3 cuil. à soupe d'huile d'olive

2 carottes, coupées en fines
    rondelles

2 branches de céleri, hachées

1 gros oignon, finement haché

2 brins de thym frais, ciselés

1 grande feuille de laurier

2 brins de romarin frais, ciselés

250 ml de vin blanc sec

250 ml d'eau

sel et poivre

20 oignons grelots

persil plat frais grossièrement
    haché, en garniture

1 Préchauffer le four à 160 °C
(th. 5-6). À l'aide d'un couteau
tranchant, pratiquer des incisions
sur les jarrets de porc et insérer l'ail.

2 Dans une cocotte, chauffer
1 cuillerée à soupe d'huile à feu
moyen, ajouter les carottes, le céleri
et l'oignon, et faire revenir 10 minutes
en remuant de temps en temps, jusqu'à
ce que les légumes soient fondants.

3 Disposer la viande sur les légumes,
parsemer de thym et de romarin,
et mouiller avec le vin et l'eau. Ajouter
la feuille de laurier et saler et poivrer
selon son goût.

4 Porter à ébullition, retirer du feu
et couvrir. Cuire au four préchauffé
3 h 30, jusqu'à ce que la viande soit
bien tendre.

5 Mettre les oignons grelots dans
une terrine, couvrir d'eau
bouillante et laisser reposer 1 minute.
Égoutter et peler. Chauffer l'huile
restante dans une poêle à fond épais,
ajouter les oignons et cuire 15 minutes
à feu doux à demi couvert en remuant
de temps en temps, jusqu'à ce qu'ils
soient dorés.

6 Ajouter les oignons grelots dans
la cocotte, cuire au four encore
15 minutes et retirer les jarrets et
les oignons de la cocotte. Réserver
au chaud.

7 Écumer la surface du jus de cuisson
à l'aide d'une cuillère en métal,
filtrer dans une terrine et réserver les
légumes. Rectifier l'assaisonnement.

8 Disposer les jarrets sur un plat de
service avec les oignons grelots et
les légumes réservés, napper de sauce
et garnir de persil.

# émincé de bœuf au yaourt

## 4 personnes

450 g de bœuf maigre, émincé
en tranches de 2,5 cm
5 cuil. à soupe de yaourt
1 cuil. à café de gingembre frais
haché
1 cuil. à café d'ail haché
1 cuil. à café de poudre de piment
1 pincée de curcuma
2 cuil. à café de garam masala
1 cuil. à café de sel
2 graines de cardamome
1 cuil. à café de graines de cumin
noir
75 g de poudre d'amande
1 cuil. à soupe de noix de coco
déshydratée
1 cuil. à soupe de graines de pavot
1 cuil. à soupe de graines de sésame
300 ml d'huile
2 oignons, finement hachés
300 ml d'eau
2 piments rouges, finement émincés
feuilles de coriandre, hachées

1 Dans une terrine, mélanger
le bœuf, le yaourt, le gingembre,
l'ail, la poudre de piment, le curcuma,
le garam masala, le sel, la cardamome
et le cumin, et réserver.

2 Dans une casserole, mettre
la poudre d'amandes, la noix
de coco et les graines de pavot
et de sésame, et faire revenir sans
cesser de remuer de façon à éviter
que la préparation brûle.

3 Dans un robot de cuisine, mixer
la préparation précédente avec
1 cuillerée à soupe d'eau si nécessaire,
ajouter à la viande et bien mélanger.

4 Dans une cocotte, chauffer
un peu d'huile, ajouter les oignons
et faire revenir. Retirer de la cocotte,
ajouter la viande avec l'huile restante
et faire revenir 5 minutes. Ajouter
de nouveau les oignons, cuire
encore 5 à 7 minutes et mouiller
progressivement avec l'eau. Couvrir
et laisser mijoter 30 minutes à feu
doux en remuant de temps en temps.
Garnir de feuilles de coriandre
et de piments émincés, et servir
immédiatement.

# sauté de bœuf aux cacahuètes

## 4 personnes

1 cuil. à soupe d'huile

60 g de beurre

450 g de bœuf maigre, coupé
en lamelles

1 oignon, émincé

2 gousses d'ail, hachées

600 g de pommes de terre
farineuses, coupées en cubes

½ cuil. à café de paprika

4 cuil. à soupe de beurre
de cacahuètes avec morceaux

600 ml de bouillon de bœuf

25 g de cacahuètes non salées

2 cuil. à café de sauce de soja

50 g de haricots coco plats

1 poivron rouge, coupé en lanières

brins de persil, en garniture
(facultatif)

1 Chauffer l'huile et le beurre dans
une cocotte allant au four.

2 Ajouter la viande et faire revenir
3 à 4 minutes sans cesser
de remuer, jusqu'à ce qu'elle soit
bien saisie.

3 Ajouter l'oignon et l'ail, et cuire
encore 2 minutes sans cesser
de remuer.

4 Ajouter les pommes de terre
et cuire encore 3 à 4 minutes,
jusqu'à ce qu'elles commencent
à dorer.

5 Ajouter le paprika et le beurre
de cacahuètes, mouiller
progressivement avec le bouillon
de bœuf et porter à ébullition en
remuant fréquemment.

6 Ajouter les cacahuètes,
la sauce de soja, les haricots
coco et le poivron.

7 Couvrir et laisser mijoter
45 minutes à feu doux, jusqu'à
ce que la viande soit cuite. Garnir
de persil et servir.

# porc stroganov

## 4 personnes

350 g de filet de porc maigre

1 cuil. à soupe d'huile

1 oignon moyen, haché

2 gousses d'ail, hachées

25 g de farine

2 cuil. à soupe de concentré
de tomates

1 gros poivron vert, coupé en dés

425 ml de bouillon de poulet
ou de légumes

125 g de champignons de Paris,
émincés

½ cuil. à café de noix muscade
en poudre

riz nature cuit, en accompagnement

sel et poivre

4 cuil. à soupe de yaourt nature,
un peu plus en accompagnement

noix muscade en poudre et persil
haché, en garniture

**1** À l'aide d'un couteau tranchant, dégraisser le porc et couper en dés d'environ 1 cm de côté.

**2** Dans une poêle à fond épais, chauffer l'huile, ajouter le porc, l'ail et l'oignon, et faire revenir 4 à 5 minutes, jusqu'à ce que le porc soit légèrement doré.

**3** Ajouter la farine et le concentré de tomates, mouiller avec le bouillon et bien mélanger.

### CONSEIL

Vous pouvez acheter
du bouillon prêt à l'emploi.
Bien que plus coûteux,
ils sont meilleurs que
les bouillon cubes très salés
et aux arômes artificiels.

**4** Ajouter les champignons, la noix muscade et le poivron, saler et poivrer. Porter à ébullition, couvrir et cuire 20 minutes à feu doux, jusqu'à ce que le porc soit tendre et bien cuit.

**5** Retirer du feu, ajouter le yaourt en remuant et répartir dans des assiettes. Garnir le riz de persil, napper le porc et les champignons de yaourt et saupoudrer de noix muscade.

# ragoût de saucisses et de haricots

## 4 personnes

1 poivron vert

8 saucisses italiennes épicées

1 cuil. à soupe d'huile d'olive

1 gros oignon, haché

2 gousses d'ail, hachées

2 cuil. à soupe de concentré
   de tomates séchées au soleil

225 g de tomates fraîches concassées,
   ou 400 g de tomates concassées
   en boîte

400 g de haricots cannellinis, rincés

purée de pommes de terre ou riz
   cuit, en accompagnement

### CONSEIL

Les saucisses italiennes
ont une texture épaisse
et sont très parfumées.
Vous en trouverez diverses
variétés dans les magasins
spécialisés. Choisissez à votre
convenance car toutes
conviennent bien pour ce plat.

1 Épépiner le poivron et couper
en fines lanières.

2 Piquer les saucisses italiennes
à l'aide d'une fourchette, passer
au gril préchauffé 10 à 12 minutes
en les retournant de temps en temps,
de façon à ce qu'elles dorent
uniformément, et réserver au chaud.

3 Chauffer l'huile dans une poêle,
ajouter l'oignon, l'ail, et le poivron,
et faire revenir 5 minutes en remuant
de temps en temps.

4 Ajouter les tomates et laisser
mijoter 5 minutes à feu doux en
remuant de temps en temps, jusqu'à
ce que le jus de cuisson épaississe.

5 Incorporer le concentré de tomates,
les haricots et les saucisses, et cuire
4 à 5 minutes, jusqu'à ce que la
préparation soit chaude, en ajoutant
5 cuillerées à soupe d'eau si nécessaire.

6 Répartir dans des assiettes
et servir accompagné
d'une purée de pommes de terre
ou de riz blanc.

# viande à la tomate et au yaourt

## 2 à 4 personnes

1 cuil. à café de garam masala

1 cuil. à café de gingembre
finement haché

1 gousse d'ail, hachée

2 graines de cardamome

1 cuil.à café de poudre de piment

½ cuil. à café de graines de cumin

2 bâtons de cannelle de 2 cm

1 cuil. à café de sel

150 g de yaourt

500 g d'agneau, coupé en dés

150 ml d'huile

2 oignons, émincés

600 ml d'eau

2 grosses tomates, coupées
en quartiers

2 cuil. à café de jus de citron

2 piments verts frais hachés,
en garniture

**1** Dans une terrine, mélanger l'ail, le garam masala, le gingembre, la cardamome, la poudre de piment, les graines de cumin, les bâtons de cannelle, le sel et le yaourt.

**2** Ajouter la viande, mélanger de façon à bien l'enrober et réserver. Chauffer l'huile dans une poêle, ajouter les oignons et cuire jusqu'à ce qu'ils soient dorés.

**3** Ajouter la viande, faire revenir 5 minutes, jusqu'à ce qu'elle soit dorée, et réduire le feu. Ajouter l'eau, couvrir et laisser mijoter 1 heure en remuant de temps en temps.

**4** Ajouter les tomates, verser le jus de citron et laisser mijoter encore 7 à 10 minutes.

**5** Garnir de piments verts et servir immédiatement.

# bœuf korma aux amandes

## 4 personnes

300 ml d'huile

3 oignons, finement hachés

1 kg de bœuf, coupé en dés

1 cuil. à café ½ de garam masala

1 cuil. à café ½ de coriandre hachée

1 cuil. à café ½ de gingembre
   finement haché

1 cuil. à café ½ d'ail haché

1 cuil. à café de sel

160 g de yaourt nature

2 clous de girofle

3 graines de caradamome

4 grains de poivre noir

600 ml d'eau

chapatis, en accompagnement

GARNITURE

6 amandes, blanchies, pelées
   et hachées

2 piments verts frais, hachés

feuilles de coriandre, en garniture

1 Chauffer l'huile dans une poêle, ajouter les oignons et faire revenir jusqu'à ce qu'ils soient dorés. Retirer la moitié des oignons et réserver.

2 Ajouter la viande aux oignons restants dans la poêle, faire revenir 5 minutes et retirer la poêle du feu.

3 Mélanger le garam masala, l'ail, la coriandre, le gingembre, le sel et le yaourt, incorporer progressivement la viande et mélanger de sorte que la viande soit bien enrobée. Transférer dans la poêle et cuire 5 à 7 minutes sans cesser de remuer, jusqu'à ce que la préparation soit dorée.

4 Ajouter les clous de girofle, les graines de cardamome et les grains de poivre, verser l'eau et réduire le feu. Couvrir, laisser mijoter 45 à 60 minutes en ajoutant de l'eau si nécessaire et cuire encore 10 à 15 minutes sans cesser de remuer.

5 Garnir d'oignons, d'amandes, de piments hachés et de feuilles de persil, et servir accompagné de chapatis.

47

# daube provençale traditionnelle

## 4 à 6 personnes

700 g de viande de bœuf
    à bouillir (jarret par exemple),
    coupée en morceaux de 5 cm
400 ml de vin rouge
2 cuil. à soupe d'huile d'olive
4 gousses d'ail, hachées
4 échalotes, coupées en fines
    rondelles
250 g de lard ou de bacon,
    coupé en dés
5 à 6 cuil. à soupe de farine
250 g de gros champignons
    de Paris, émincés
400 g de tomates pelées en boîte
1 bouquet garni : 1 feuille de laurier,
    2 brins de thym séché et 2 brins
    de persil liés à un petit morceau
    de céleri
1 lanière de zeste d'orange séché
    de 5 cm (facultatif)
450 ml de bouillon de bœuf
50 g de filets d'anchois à l'huile,
    égouttés
2 cuil. à soupe de câpres
    en saumure, égouttées
2 cuil. à soupe de vinaigre
    de vin rouge
2 cuil. à soupe de persil plat frais
    haché
sel et poivre

**1** Mettre la viande dans une terrine non métallique avec le vin, l'huile d'olive, la moitié de l'ail et les échalotes, couvrir et laisser macérer 4 heures en remuant de temps en temps.

**2** Dans une casserole, mettre les dés de lard, couvrir d'eau et porter à ébullition. Laisser frémir 10 minutes et égoutter.

**3** Dans une terrine, délayer 4 cuillerées à soupe de farine dans 2 cuillerées à soupe d'eau de façon à obtenir une pâte épaisse, couvrir et réserver.

**4** Égoutter le bœuf en réservant la marinade, essuyer et passer dans la farine restante.

**5** Dans un plat allant au four, alterner des couches de lardons, de champignons et de tomates,

et des couches de viande, en ajoutant le bouquet garni et l'écorce d'orange.

**6** Mouiller avec le bouillon et la marinade, abaisser la pâte sur les couches de viande et de légumes, et sceller en appuyant bien.

**7** Cuire au four préchauffé, à 150 °C (th. 5), 2 h 30 à 3 heures. Piler les anchois avec les câpres et l'ail restant.

**8** Sortir la cocotte du four, casser la croûte de pâte et incorporer le mélange à base d'anchois, le vinaigre et le persil. Couvrir et cuire 1 heure à 1 h 30, jusqu'à ce que la viande soit bien tendre. Rectifier l'assaisonnement et servir.

# agneau sauce épicée

## 6 à 8 personnes

175 ml d'huile

1 kg de gigot d'agneau dégraissé,
  coupé en cubes

1 cuil. à soupe de garam masala

5 oignons moyens, hachés

150 ml de yaourt

2 cuil. à soupe de concentré
  de tomates

2 cuil. à café de gingembre frais
  finement haché

2 cuil. à café d'ail haché

1 cuil. à café de sel

2 cuil. à café de poudre de piment

1 cuil. à soupe de coriandre
  en poudre

2 cuil. à café de noix muscade râpée

1 litre d'eau

1 cuil. à soupe de graines de fenouil
  en poudre

1 cuil. à soupe de paprika

1 cuil. à soupe de besan
  (farine de pois chiche)

3 feuilles de laurier

1 cuil. à soupe de farine

pains naans ou paratas,
  en accompagnement

GARNITURE

2 ou 3 piments verts hachés

feuilles de coriandre ciselées

1 Chauffer l'huile dans une poêle, ajouter la viande et la moitié du garam masala, et faire revenir 7 à 10 minutes sans cesser de remuer de façon à bien imprégner la viande d'épices. Retirer la viande et réserver.

2 Ajouter les oignons dans la poêle et faire revenir jusqu'à ce qu'ils soient dorés. Ajouter la viande, réduire le feu et laisser mijoter en remuant fréquemment.

3 Dans une terrine, mélanger le yaourt, le concentré de tomates, l'ail, le gingembre, le sel, la poudre de piment, la coriandre, la noix muscade et le garam masala restant, ajouter dans la poêle et faire revenir 5 à 7 minutes sans cesser de remuer, de sorte que la viande soit enrobée.

4 Ajouter la moitié de l'eau, le fenouil, le paprika et le besan. Réduire le feu, ajouter l'eau restante et les feuilles de laurier, et couvrir. Cuire 1 heure en remuant de temps en temps.

5 Délayer la farine dans 2 cuillerées à soupe d'eau tiède et incorporer dans la poêle. Garnir de piments verts et de feuilles de coriandre et servir accompagné de pains naans ou paratas.

# porc épicé aux pruneaux

## 4 à 6 personnes

jus de 2 ou 3 citrons verts

10 gousses d'ail, hachées

3 à 4 cuil. à soupe de poudre
    de piment doux

4 cuil. à soupe d'huile

1,5 kg de jambon ou d'épaule
    de porc

2 oignons, hachés

500 ml de bouillon de poulet

25 pruneaux, dénoyautés

25 petites tomates, grossièrement
    concassées

1 à 2 cuil. à café de sucre

1 pincée de cannelle en poudre

1 pincée de poivre de la Jamaïque

1 pincée de cumin en poudre

tortillas de maïs chaudes,
    en accompagnement

sel

2 Préchauffer le four à 180 °C (th. 6). Retirer la viande de la marinade, essuyer avec du papier absorbant et réserver la marinade. Chauffer l'huile restante dans une cocotte allant au four, ajouter la viande et cuire jusqu'à ce qu'elle soit dorée uniformément. Ajouter les oignons, mouiller avec le bouillon et la marinade réservée, et couvrir. Cuire au four préchauffé, 2 à 3 heures, jusqu'à ce que la viande soit bien tendre.

3 Dégraisser le jus de cuisson à l'aide d'une écumoire, ajouter les tomates et cuire encore 20 minutes, jusqu'à ce que les tomates soient fondantes. Écraser les morceaux de tomates en purée et ajouter les pruneaux, le sucre, la cannelle, le poivre de la Jamaïque, le cumin et la poudre de piment selon son goût.

4 Augmenter la température du four à 200 °C (th. 6-7), remettre la cocotte au four et cuire 20 à 30 minutes, jusqu'à ce que la viande soit dorée et que la sauce ait épaissi.

1 Dans une terrine, mélanger le jus de citron vert, l'ail, la poudre de piment et 2 cuillerées à soupe d'huile, saler et enrober la viande. Laisser mariner une nuit au réfrigérateur.

5 Retirer la viande, laisser tiédir et couper en tranches. Disposer les tranches dans un plat de service, napper de sauce et servir chaud, accompagné de tortillas de maïs.

# porc basquaise aux haricots

## 4 à 6 personnes

200 g de haricots cannellini,
   trempés une nuit dans l'eau
   froide et égouttés
huile d'olive, pour la cuisson
600 g de jarret de porc désossé,
   coupé en morceaux de 5 cm
1 gros oignon, émincé
3 grosses gousses d'ail, hachées
400 g de tomates concassées
   en boîte
2 poivrons verts, épépinés
   et émincés
zeste finement râpé d'une orange
sel et poivre
persil frais finement haché,
   en garniture

**1** Préchauffer le four à 180 °C (th. 6). Égoutter les haricots, mettre dans une casserole et couvrir d'eau froide. Porter à ébullition, laisser bouillir 10 minutes et réduire le feu. Laisser mijoter 20 minutes et bien égoutter.

**2** Verser une fine couche d'huile dans le fond d'une poêle, chauffer à feu moyen et ajouter des morceaux de viande. Cuire jusqu'à ce que le porc soit doré uniformément, retirer de la poêle et réserver. Répéter l'opération avec la viande restante.

**3** Ajouter 1 cuillerée à soupe d'huile dans la poêle si nécessaire, ajouter l'oignon et cuire 3 minutes. Incorporer l'ail, cuire 2 minutes et ajouter de nouveau le porc.

**4** Ajouter les tomates, porter à ébullition et réduire le feu. Incorporer les poivrons, le zeste d'orange et les haricots, et saler et poivrer selon son goût.

**5** Transférer dans une cocotte allant au four, couvrir et cuire au four préchauffé 45 minutes, jusqu'à ce que les haricots et la viande soient tendres. Parsemer de persil haché et servir immédiatement, directement dans la cocotte.

# potée d'agneau aux légumes

## 4 personnes

8 morceaux de collier d'agneau
   maigre

sel et poivre

1 ou 2 gousses d'ail, hachées

2 rognons d'agneau (facultatif)

1 gros oignon, finement émincé

1 poireau, émincé

2 ou 3 carottes, coupées en
   rondelles

1 cuil. à café d'estragon ou de sauge
   frais hachés, ou ½ cuil. à café
   d'estragon ou de sauge séché

1 kg de pommes de terre, coupées
   en fines rondelles

300 ml de bouillon

2 cuil. à soupe de margarine, fondue,
   ou 1 cuil. à soupe d'huile

persil frais, en garniture

1 Préchauffer le four à 180 °C (th. 6).
   Dégraisser la viande, saler
et poivrer selon son goût et mettre
dans une cocotte allant au four.
Parsemer d'ail haché.

2 Parer les rognons, hacher
   finement et parsemer la viande.

3 Ajouter les légumes en les laissant
   glisser entre les morceaux d'agneau
et parsemer de fines herbes.

4 Répartir les rondelles de pommes
   de terre sur les légumes en les
faisant se superposer.

5 Porter le bouillon à ébullition,
   saler et poivrer selon son goût
et verser dans la cocotte.

6 Enduire les pommes de terre
   de beurre fondu, couvrir à l'aide
de papier d'aluminium graissé
ou d'un couvercle et cuire au four
préchauffé, 1 h 30.

7 Découvrir la cocotte, augmenter
   la température du four à 220 °C
(th. 7-8) et cuire encore 30 minutes,
jusqu'à ce que les pommes de terre
soient bien dorées. Garnir de persil
et servir immédiatement.

# agneau à la mangue

## 4 personnes

4 oignons moyens

300 ml d'huile

1 cuil. à café de gingembre frais
finement haché

1 cuil. à café d'ail haché

1 cuil. à café de poudre
de piment

1 pincée de curcuma

1 cuil. à café de sel

3 piments verts, émincés

500 g de gigot d'agneau, coupé
en dés

600 ml d'eau

1 cuil. à café ½ de aamchor
(poudre de mangue séchée)

feuilles de coriandre fraîche,
en garniture

**1** À l'aide d'un couteau tranchant, hacher finement 3 oignons.

**2** Chauffer la moitié de l'huile dans une poêle, ajouter les oignons et faire revenir. Réduire le feu, ajouter le gingembre, l'ail, la poudre de piment, le curcuma et le sel, et cuire 5 minutes sans cesser de remuer. Incorporer 2 piments verts.

**3** Ajouter les dés de viande dans la poêle et faire revenir 7 minutes.

**CONSEIL**

L'aamchor est à base de mangue séchée, il possède un petit goût aigre et s'achète en bocal.

**4** Verser l'eau, couvrir et laisser mijoter 35 à 45 minutes à feu doux, en remuant de temps en temps.

**5** Émincer le quatrième oignon, faire revenir avec l'huile restante dans une autre poêle et réserver.

**6** Incorporer l'aamchor, le troisième piment vert et les feuilles de coriandre à la préparation à base de viande et cuire 3 à 5 minutes à feu vif sans cesser de remuer.

**7** Transférer le curry dans un plat de service, garnir d'oignons frits non égouttés et servir immédiatement, accompagné de riz.

# curry rouge de porc

## 4 à 6 personnes

900 g d'épaule de porc désossée,
   coupée en lamelles

700 ml de lait de coco

2 piments rouges, émincés

2 cuil. à soupe de sauce de poisson

2 cuil. à café de sucre roux

1 gros poivron rouge, épépiné
   et finement émincé

6 feuilles de lime kafir, ciselées

½ botte de menthe fraîche, ciselée

½ botte de basilic thaï

riz au jasmin ou riz thaï parfumé,
   cuit selon les instructions
   figurant sur le paquet

PÂTE DE CURRY ROUGE

1 cuil. à soupe de grains de coriandre

2 cuil. à café de graines de cumin

2 cuil. à café de grains de poivre

1 cuil. à café de sel

5 à 8 piments rouges séchés

3 ou 4 échalotes, hachées

6 à 8 gousses d'ail

4 cuil. à café de galanga
   ou de gingembre frais haché

2 cuil. à café de zeste de lime kafir
   ou 2 feuilles de lime kafir
   fraîches, hachées

1 cuil. à soupe de poudre de piment

1 cuil. à soupe de pâte de crevettes

2 tiges de lemon-grass, émincées

1 Pour la pâte de curry rouge, moudre les grains de coriandre, de cumin et de poivre avec le sel, ajouter les piments progressivement, selon son goût, et moudre de nouveau.

2 Mettre les échalotes, le galanga, l'ail, le zeste de lime kafir, la poudre de piment et la pâte de crevettes dans un robot de cuisine, mixer 1 minute et ajouter la préparation précédente. Mixer de nouveau, ajouter de l'eau goutte à goutte, moteur en marche, et mixer jusqu'à obtention d'une pâte épaisse. Transférer dans une terrine et ajouter le lemon-grass.

3 Mettre la moitié de la pâte dans une sauteuse à fond épais, ajouter le porc et faire revenir 2 à 3 minutes à feu moyen en remuant délicatement, jusqu'à ce que le porc soit bien enrobé de pâte et commence à dorer.

4 Incorporer le lait de coco, porter à ébullition et cuire 10 minutes en remuant fréquemment. Réduire le feu, ajouter les piments, la sauce de poisson et le sucre roux, et laisser mijoter 20 minutes. Ajouter le poivron rouge et laisser mijoter encore 10 minutes.

5 Ajouter les feuilles de lime kafir et la moitié de la menthe et du basilic, transférer dans un plat et parsemer avec la menthe et le basilic restant. Servir immédiatement accompagné de riz.

# biryani d'agneau

## 6 personnes

160 ml de lait

1 cuil. à café de safran

5 cuil. à soupe d'huile ou de ghee
   (beurre clarifié)

3 oignons, émincés

1 kg d'agneau maigre, coupé en dés

7 cuil. à soupe de yaourt nature

1 ou 2 gousses d'ail, hachées

1 cuil. à café ½ de gingembre frais
   haché

2 cuil. à café de garam masala

¼ de cuil. à café de curcuma

2 cuil. à café de sel

600 ml d'eau

450 g de riz basmati

2 cuil. à café de graines de cumin

3 graines de cardamome verte

4 cuil. à soupe de jus de citron

2 piments verts frais

¼ de botte de coriandre fraîche

**1** Mélanger le lait et le safran dans une casserole, porter à ébullition et réserver. Dans une cocotte, chauffer l'huile, ajouter les oignons et faire revenir jusqu'à ce qu'ils soient dorés. Transférer la moitié de l'huile et des oignons dans une terrine et réserver.

**2** Dans une terrine, mélanger l'ail, l'agneau, le yaourt, le gingembre, le garam masala, le curcuma et 1 cuillerée à café de sel.

**3** Remettre la cocotte sur le feu, ajouter la préparation précédente et chauffer 2 à 3 minutes sans cesser de remuer. Verser l'eau et laisser mijoter 45 minutes à feu doux en remuant de temps en temps, jusqu'à ce que le jus de cuisson soit absorbé. Faire revenir 2 minutes et réserver.

**4** Verser le riz dans une casserole, ajouter les graines de cumin, les graines de cardamome et le sel restant, et couvrir d'eau. Cuire à feu moyen jusqu'à ce que le riz soit juste tendre, égoutter et transférer la moitié du riz dans une terrine en remettant l'autre moitié dans la casserole.

**5** Disposer l'agneau sur le riz dans la casserole, ajouter la moitié du mélange à base de safran et la moitié du jus de citron, des piments et de la coriandre, et répéter l'opération avec les ingrédients restants. Couvrir, cuire 15 à 20 minutes à feu doux, jusqu'à ce que le riz soit complètement cuit, et remuer. Ajouter les oignons réservés et servir chaud.

# poêlée d'agneau à la romaine

## 4 personnes

1 cuil. à soupe d'huile

1 cuil. à soupe de beurre

600 g d'épaule d'agneau, coupée
en morceaux de 2,5 cm

4 gousses d'ail, pelée

3 brins de thym frais, effeuillés

6 anchois en boîte

160 ml de vin rouge

160 ml de bouillon de bœuf

1 cuil. à soupe de sucre

25 g d'olives noires, coupées
en deux et dénoyautées

2 cuil. à soupe de persil frais haché,
en garniture

purée de pommes de terre,
en accompagnement

### CONSEIL

Rome, capitale de l'Italie ainsi
que de la région du Latium,
est le point de convergence
des spécialités venues de toute
l'Italie. Les plats de cette région
sont plutôt simples et rapides
à préparer, avec beaucoup
de fines herbes et de condiments
pour des saveurs prononcées.

1 Chauffer l'huile et le beurre
dans une poêle, ajouter l'agneau
et cuire 4 à 5 minutes sans cesser
de remuer, jusqu'à ce que la viande
soit dorée uniformément.

2 Dans un mortier, réduire l'ail,
le thym et les anchois en purée
à l'aide d'un pilon.

3 Mouiller le contenu de la poêle
avec le vin et le bouillon,
incorporer la purée à base d'ail
et d'anchois, et ajouter le sucre.

4 Porter à ébullition, réduire le feu
et laisser mijoter 20 à 30 minutes
à couvert, jusqu'à ce que la viande soit
tendre. Retirer le couvercle et cuire
encore 10 minutes, jusqu'à ce que
la préparation ait réduit.

5 Incorporer les olives et bien
mélanger.

6 Transférer la poêlée dans
un plat de service, garnir
de persil et servir accompagné
de purée de pommes de terre.

# curry d'agneau

## 6 personnes

1 kg d'agneau maigre, désossé
  ou non

7 cuil. à soupe de yaourt nature

75 g d'amandes

2 cuil. à café de garam masala

2 cuil. à café d'ail haché

2 cuil. à café de gingembre frais
  finement haché

1 cuil. à café ½ de poudre
  de piment

1 cuil. à café ½ de sel

300 ml d'huile

3 oignons, finement hachés

4 graines de cardamome verte

2 feuilles de laurier

3 piments verts, hachés

2 cuil. à soupe de jus de citron

400 g de tomates en boîte

300 ml d'eau

feuilles de coriandre fraîche, ciselées

riz cuit, en accompagnement

1 À l'aide d'un couteau tranchant, découper la viande en morceaux irréguliers.

2 Dans une terrine, mélanger le yaourt, les amandes, le garam masala, le gingembre, l'ail, la poudre de piment et le sel.

3 Dans une casserole, chauffer l'huile, ajouter les oignons, la cardamome et le laurier, et faire revenir sans cesser de remuer jusqu'à ce qu'ils brunissent.

4 Ajouter la viande et la préparation à base de yaourt, et cuire 3 à 5 minutes sans cesser de remuer.

5 Incorporer 2 piments verts, le jus de citron et les tomates, et faire revenir encore 5 minutes.

6 Ajouter l'eau dans la poêle, couvrir et laisser mijoter 35 à 40 minutes à feu doux.

7 Ajouter le dernier piment vert et les feuilles de coriandre, remuer jusqu'à ce que la sauce épaississe et retirer le couvercle en augmentant le feu si la sauce est trop liquide.

8 Transférer dans des assiettes chaudes et servir immédiatement, accompagné de riz.

# ragoût au porc et au poulet

## 6 à 8 personnes

900 g de porc désossé

2 feuilles de laurier

1 oignon, haché

8 gousses d'ail, finement hachées

2 cuil. à soupe de coriandre hachée

1 carotte, finement émincée

2 branches de céleri, coupées en dés

2 bouillon cubes de poulet

½ poulet, coupé en morceaux

4 ou 5 tomates, épépinées

½ cuil. à café de poudre de piment
    doux

zeste râpé de ¼ d'orange

¼ de cuil. à café de cumin
    en poudre

jus de 3 oranges

1 courgette, coupée en morceaux

¼ chou, ciselé et blanchi

1 pomme, coupée en morceaux

10 pruneaux, dénoyautés

¼ de cuil. à café de cannelle
    en poudre

1 pince de gingembre en poudre

350 g de saucisses, coupées
    en morceaux

sel et poivre

riz, tortillas et salsa, en garniture

1 Mettre la viande, le laurier, l'ail, l'oignon, la coriandre, la carotte et le céleri dans une cocotte, couvrir d'eau et porter à ébullition en écumant la surface. Réduire le feu et laisser mijoter 1 heure.

2 Ajouter les bouillon cubes, le poulet, les tomates, la poudre de piment, le zeste d'orange et le cumin, cuire encore 45 minutes, jusqu'à ce que le poulet soit tendre, et dégraisser.

3 Ajouter le jus d'orange, le chou, la courgette, la pomme, les pruneaux, la cannelle, le gingembre et la saucisse, et laisser mijoter 20 minutes, jusqu'à ce que la courgette soit tendre et la saucisse bien cuite.

4 Saler et poivrer selon son goût et servir accompagné de riz, de tortilla et de salsa.

# ragoût d'agneau aux fruits

## 4 personnes

450 g d'agneau, dégraissé et coupé
    en morceaux de 2,5 cm

1 cuil. à café de cannelle en poudre

1 cuil. à café de coriandre en poudre

1 cuil. à café de cumin en poudre

2 cuil. à café d'huile d'olive

1 oignon rouge, finement haché

1 gousse d'ail, hachée

400 g de tomates concassées
    en boîte

2 cuil. à soupe de concentré
    de tomates

sel et poivre

125 g d'abricots secs

1 cuil. à café de sucre en poudre

300 ml de bouillon de légumes

1 botte de coriandre, hachée

riz complet, couscous ou boulgour,
    en garniture

1 Mettre la viande dans une terrine avec les épices et l'huile, et mélanger jusqu'à ce que la viande soit enrobée.

2 Chauffer une poêle antiadhésive, ajouter l'agneau et réduire le feu. Faire revenir 4 à 5 minutes sans cesser de remuer, jusqu'à ce que la viande soit dorée, et transférer dans une cocotte allant au four à l'aide d'une écumoire.

3 Ajouter l'oignon, l'ail, les tomates et le concentré de tomates dans la poêle, cuire 5 minutes sans cesser de remuer et saler et poivrer selon son goût. Incorporer les abricots et le sucre, mouiller avec le bouillon et porter à ébullition.

4 Napper la viande de sauce, couvrir et cuire au four préchauffé, à 180 °C (th. 6), 40 minutes. Retirer le couvercle et cuire encore 10 minutes.

5 Hacher la coriandre, parsemer dans la cocotte et servir accompagné de riz complet, de couscous ou de boulgour.

# agneau aux épinards

## 2 à 4 personnes

300 ml d'huile

2 oignons moyens, émincés

¼ de bouquet de coriandre fraîche

3 piments verts, hachés

1 cuil. à café ½ de gingembre frais
   finement haché

1 cuil. à café ½ d'ail haché

1 cuil. à café de poudre de piment

450 g de gigot d'agneau
   avec ou sans os

1 kg d'épinards frais, équeutés, lavés
   et hachés, ou 400 g d'épinards
   en boîte

½ cuil. à café de curcuma

1 cuil. à café de sel

700 ml d'eau

GARNITURE

piments rouges frais,
   finement hachés

1 Chauffer l'huile dans une poêle, ajouter les oignons et faire revenir jusqu'à ce qu'ils soient transparents.

2 Ajouter la coriandre et 2 piments verts, et cuire 3 à 5 minutes sans cesser de remuer.

3 Réduire le feu, ajouter l'ail, le gingembre, la poudre de piment et le curcuma, et mélanger.

4 Ajouter la viande dans la poêle, cuire encore 5 minutes et saler. Ajouter le sel et les épinards et cuire encore 3 à 5 minutes en remuant de temps en temps à l'aide d'une cuillère en bois.

5 Verser l'eau en remuant, couvrir et laisser mijoter 45 minutes à feu doux, jusqu'à ce que la viande soit tendre en retournant les morceaux et en augmentant le feu si nécessaire jusqu'à ce que l'excédent d'eau soit absorbé. Cuire à feu vif 5 à 7 minutes, sans cesser de remuer.

6 Transférer l'agneau et les épinards dans un plat de service, parsemer de piments rouges finement hachés et servir immédiatement.

# pommes de terre à la viande et au yaourt

## 6 personnes

3 pommes de terre

300 ml d'huile

3 oignons, émincés

1 kg d'épaule d'agneau, coupé
en morceaux

2 cuil. à café de garam masala

2 cuil. à café ½ de gingembre frais
haché

1 ou 2 gousses d'ail, hachées

1 cuil. à café de poudre de piment

3 grains de poivre noir

3 graines de cardamome

1 cuil. à café de graines de cumin

2 bâtons de cannelle

1 cuil. à café de paprika

1 cuil. à café ½ de sel

160 ml de yaourt nature

600 ml d'eau

GARNITURE

2 piments verts frais, hachés

coriandre, hachée

1 Peler et couper chaque pomme de terre en 6 morceaux.

2 Dans une casserole, chauffer l'huile, ajouter les oignons et faire revenir jusqu'à ce qu'ils soient dorés. Retirer de la casserole et réserver.

3 Ajouter la viande et la moitié du garam masala, et faire revenir 5 à 7 minutes à feu doux.

4 Ajouter de nouveau les oignons et retirer du feu.

5 Dans une terrine, mélanger le garam masala restant, l'ail, le gingembre, la poudre de piment, les grains de poivre et de cumin, la cardamome, les bâtons de cannelle, le paprika et le sel, ajouter le yaourt et bien mélanger.

6 Remettre la casserole sur le feu, incorporer progressivement la préparation précédente et faire revenir 7 à 10 minutes. Ajouter l'eau, réduire le feu et cuire 40 minutes à couvert en remuant de temps en temps.

7 Ajouter les pommes de terre et cuire encore 15 minutes à couvert en remuant de temps en temps. Garnir de coriandre et de piments, et servir immédiatement.

# agneau pilaf à l'azerbaïdjanaise

## 4 à 6 personnes

2 à 3 cuil. à soupe d'huile

650 g d'épaule d'agneau
désossée, coupée en morceaux
de 2,5 cm

2 oignons, grossièrement hachés

1 cuil. à café de cumin en poudre

200 g de riz arborio, long grain
ou basmati

1 cuil. à soupe de concentré
de tomates

1 cuil. à café de filaments de safran

100 ml de jus de grenade

850 ml de bouillon de poulet
ou d'agneau, ou d'eau

115 g d'abricots secs
ou de pruneaux, mis à tremper
et coupés en deux

2 cuil. à soupe de raisins secs

sel et poivre

ACCOMPAGNEMENT

2 cuil. à soupe de menthe ciselée

2 cuil. à soupe de cresson frais
ciselé

1 Dans un faitout, chauffer l'huile à feu vif, ajouter l'agneau et faire revenir 7 minutes, jusqu'à ce qu'il soit doré uniformément.

2 Ajouter les oignons, baisser le feu et faire revenir 2 minutes, jusqu'à ce qu'ils soient fondants. Ajouter le cumin et le riz, faire revenir 2 minutes sans cesser de remuer, jusqu'à ce que les grains soient translucides, et ajouter le concentré de tomates et le safran.

3 Mouiller avec le jus de grenade et le bouillon, porter à ébullition en remuant une fois et ajouter les abricots et les raisins secs. Mélanger, baisser le feu et laisser mijoter 20 minutes à couvert à feu doux, jusqu'à ce que le liquide soit complètement absorbé et que le riz et l'agneau soient tendres.

4 Saler et poivrer selon son goût, parsemer le riz pilaf de menthe et de cresson ciselé, et servir immédiatement.

### CONSEIL

Le jus de grenade se vend dans les épiceries orientales. À défaut, vous pouvez le remplacer par du jus de raisin ou de pomme non sucré.

# curry rouge d'agneau

## 4 personnes

500 g de gigot d'agneau, désossé

2 cuil. à soupe d'huile

1 gros oignon, émincé

2 gousses d'ail, hachées

2 cuil. à soupe de pâte de curry
   rouge

150 ml de lait de coco

1 cuil. à soupe de sucre roux

1 gros poivron rouge, épépiné
   et coupé en rondelles épaisses

125 ml de bouillon de bœuf
   ou d'agneau

1 cuil. à soupe de sauce de poisson
   thaïe

2 cuil. à soupe de jus de citron vert

225 g de châtaignes d'eau,
   égouttées

2 cuil. à soupe de coriandre hachée

2 cuil. à soupe de feuilles de basilic
   haché, un peu plus en garniture

sel et poivre

riz au jasmin, en accompagnement

### CONSEIL

Ce plat peut être préparé avec
d'autres viandes rouges maigres.
Remplacez l'agneau par
des magrets de canard
dégraissés ou du bœuf à braiser.

1 Parer la viande et la couper en
morceaux de 3 cm. Dans un wok
ou une sauteuse, chauffer l'huile à feu
vif, ajouter l'oignon et l'ail et faire
revenir 2 à 3 minutes, jusqu'à ce qu'ils
soient fondants. Ajouter la viande
et faire revenir jusqu'à ce qu'elle
commence à dorer.

2 Ajouter la pâte de curry rouge,
cuire quelques secondes sans
cesser de remuer et ajouter le lait
de coco et le sucre. Porter à ébullition,
réduire le feu et laisser mijoter
15 minutes, en remuant de temps
en temps.

3 Ajouter le poivron rouge, mouiller
avec le bouillon, le jus de citron
et la sauce de poisson, et laisser
mijoter encore 15 minutes à couvert.

4 Ajouter les châtaignes d'eau,
la coriandre et le basilic, garnir
de feuilles de basilic frais et rectifier
l'assaisonnement. Servir accompagné
de riz au jasmin.

# Volailles

Le poulet est idéal pour la cuisine des plats

uniques car il existe des morceaux variés, des

pilons bon marché aux blancs si délicats, en

passant par les poulets entiers. De plus, le poulet a une saveur assez neutre

qui se marie donc à merveille avec les légumes, les fruits, les fines herbes et

les aromates. Tout le monde aime le poulet et les recettes variées de ce

chapitre reflètent la popularité universelle de celui-ci, avec des plats venus du

Mexique, de l'Inde, de la Thaïlande, de l'Espagne, de l'Italie et du Moyen

Orient. Enfin, c'est une viande qui peut se cuisiner de nombreuses façons, des

ragoûts aux sautés en passant par les currys et les risottos. Vous trouverez

dans ce chapitre des recettes pour toutes les occasions, du repas dominical en

famille au petit repas entre amis. Relevé, riche et crémeux, nourrissant et

savoureux, ou fin et délicat : chacun trouvera ici son bonheur.

# soupe de poulet aux pois chiches

## 4 personnes

2 cuil. à soupe de beurre

3 oignons verts, émincés

2 gousses d'ail, hachées

1 brin de marjolaine frais,
   finement haché

350 g de blancs de poulet,
   coupés en dés

1,2 l de bouillon de poulet

350 g de pois chiches en boîte,
   égouttés

1 bouquet garni

sel et poivre

1 poivron rouge, coupé
   en morceaux

1 poivron vert, coupé
   en morceaux

115 g de petites pâtes

croûtons, en garniture

1 Dans un faitout, faire fondre le beurre, ajouter l'ail, l'oignon vert, le brin de marjolaine et le poulet, et faire revenir à feu moyen 5 minutes, en remuant fréquemment.

2 Mouiller avec le bouillon, ajouter les pois chiches et le bouquet garni, et saler et poivrer selon son goût.

3 Porter à ébullition, réduire le feu et laisser mijoter 50 minutes.

4 Ajouter les morceaux de poivron rouge et vert et les pâtes et laisser mijoter de nouveau 20 minutes.

5 Transférer dans une soupière chaude et servir, garni de croûtons.

### CONSEIL

Vous pouvez utiliser des pois chiches secs. Faites-les tremper dans de l'eau froide 5 à 8 heures, égouttez et ajoutez à la soupe comme indiqué dans la recette, en laissant cuire 30 minutes à 1 heure supplémentaires.

# soupe de poulet au citron

## 4 personnes

4 cuil. à soupe de beurre

8 échalotes, finement émincées

2 carottes, coupées en rondelles

2 branches de céleri, coupées
    en fines rondelles

225 g de blanc de poulet, coupé
    en petits morceaux

3 citrons

1,2 l de bouillon de poulet

225 g de spaghettis, brisés
    en morceaux

sel et poivre

150 ml de crème fraîche épaisse

GARNITURE

brins de persil frais

2 rondelles de citron, coupées en deux

### CONSEIL

Les étapes 1 à 3 peuvent
être réalisées à l'avance.
Vous n'aurez ainsi plus
qu'à réchauffer la soupe,
y plonger les pâtes et garnir
avant de servir.

1 Dans un faitout, faire fondre
le beurre, ajouter les échalotes,
les carottes, le céleri et le poulet,
et cuire 8 minutes à feu doux
en remuant de temps en temps.

2 Parer les citrons, blanchir les zestes
3 minutes à l'eau bouillante et
presser les citrons.

3 Ajouter les zestes et le jus de
citron dans le faitout, mouiller
avec le bouillon et porter à ébullition.
Laisser frémir 20 minutes en remuant
de temps en temps.

4 Ajouter les spaghettis, cuire
15 minutes et saler et poivrer
selon son goût. Incorporer la crème
fraîche et chauffer à feu très doux.

5 Transférer dans une soupière
chaude, garnir de persil
et de rondelles de citrons, et servir
immédiatement.

# soupe d'asperges au poulet

## 4 personnes

225 g d'asperges vertes fraîches

850 ml de bouillon de poulet

150 ml de vin blanc sec

1 gousse d'ail, pelée

1 brin de persil frais

1 brin d'aneth frais

1 brin d'estragon frais

350 g de poulet maigre cuit,
coupé en fines tranches

60 g de vermicelle de riz

sel et poivre blanc

1 petit poireau, en garniture

### CONSEIL

Le vermicelle de riz ne contient pas de lipides et remplace les nouilles.

1 Laver les asperges, retirer l'extrémité dure et couper en morceaux de 4 cm de long.

2 Verser le bouillon et le vin dans une casserole et porter à ébullition.

3 Laver les fines herbes, attacher à l'aide de ficelle de cuisine et ajouter dans la casserole avec l'ail, les asperges et le vermicelle. Couvrir et cuire 5 minutes.

4 Ajouter le poulet, saler et poivrer selon son goût et mélanger. Laisser mijoter 3 à 4 minutes, jusqu'à ce que la soupe soit bien chaude.

5 Éplucher le poireau, couper jusqu'au centre et laver à l'eau courante. Égoutter soigneusement et couper en fines lanières.

6 Retirer les fines herbes et l'ail, répartir dans des bols chauds et parsemer de lanières de poireau. Servir immédiatement.

### VARIANTE

Vous pouvez utiliser vos fines herbes préférées, en prenant garde que leur saveur ne domine pas celle des asperges. Les pointes d'asperges petites et tendres donnent les meilleurs résultats et le meilleur goût.

# soupe de poulet à l'avocat

## 4 personnes

1,5 l de bouillon de poulet

2 ou 3 gousses d'ail, finement
   hachées

1 ou 2 piments chipotles, finement
   émincés

1 avocat

jus d'un citron ou d'un citron vert

350 à 450 g de blanc de poulet
   cuit, coupé en fines tranches

2 cuil. à soupe de coriandre fraîche
   hachée

3 à 5 oignons verts, émincés

GARNITURE

1 citron vert, coupé en quartiers

chips de tortilla (facultatif)

### CONSEIL

Les chipotles sont des piments
jalapeño séchés et fumés, vendus
en boîte ou au poids dans
les magasins spécialisés. Ils sont
forts et confèrent une saveur
très caractéristique. Pour cette
recette, utilisez de préférence
des chipotles marinés en boîte
(bien les égoutter). Les chipotles
séchés doivent être réhydratés
avant usage.

1 Verser le bouillon dans
une casserole, ajouter l'ail
et les piments, et porter à ébullition.

2 Couper l'avocat dans la longueur,
retirer le noyau et peler. Couper
la chair en dés et arroser de jus
de citron ou de citron vert pour éviter
qu'elle noircisse.

3 Mettre les oignons verts,
le poulet, l'avocat et la coriandre
fraîche dans 4 assiettes à soupe
ou dans une soupière.

4 Verser le bouillon chaud et servir
accompagné de quartiers
de citron vert et de quelques chips
de tortilla.

# soupe de vermicelle au poulet

## 4 personnes

450 g de blancs de poulet, coupés
en lanières
1,2 l de bouillon de poulet
150 ml de crème fraîche épaisse
100 g de vermicelle sec
1 cuil. à soupe de maïzena
3 cuil. à soupe de lait
175 g de maïs doux en grains
sel et poivre
oignons verts émincés, en garniture
(facultatif)

**1** Dans un faitout, mettre les lanières et le bouillon de poulet, ajouter la crème fraîche et porter à ébullition à feu modéré. Réduire le feu, laisser mijoter 20 minutes et saler et poivrer selon son goût.

**2** Porter à ébullition une casserole d'eau salée, ajouter le vermicelle et cuire jusqu'à ce qu'il soit al dente. Égoutter et réserver au chaud.

**3** Délayer la maïzena dans le lait de façon à obtenir d'une pâte homogène, incorporer à la soupe et remuer jusqu'à ce qu'elle épaississe.

**4** Ajouter le maïs et le vermicelle, et poursuivre la cuisson.

**5** Répartir dans des bols chauds, garnir d'oignon vert et servir immédiatement.

### VARIANTE

Vous pouvez remplacer
le poulet par 450 g de chair
de crabe cuite et émiettée
avant de l'incorporer
à la casserole. Réduisez
alors le temps de cuisson
à 10 minutes.

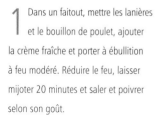

# soupe de poulet aux haricots et au maïs

## 6 personnes

1 cuil. à soupe ½ de beurre

1 oignon, finement émincé

1 gousse d'ail, finement hachée

3 cuil. à soupe de farine

600 ml d'eau

960 ml de bouillon de poulet

1 carotte, coupée en quatre
   et émincées

175 g de haricots verts, parés
   et coupés en morceaux

400 g de haricots de Lima, rincés
   et égouttés

350 g de grains de maïs cuits
   ou surgelés

225 g de blanc de poulet, cuit

sel et poivre

---

### VARIANTE

Remplacez les haricots
de Lima par des fèves pelées
si vous le désirez.
Vous pouvez également
remplacer les haricots verts
par des haricots kilomètre.

---

1 Dans un faitout, faire fondre le beurre à feu moyen, ajouter l'oignon et l'ail, et cuire 3 à 4 minutes en remuant fréquemment, jusqu'à ce que l'oignon soit tendre.

2 Incorporer la farine et cuire encore 2 minutes, jusqu'à ce que la préparation épaississe.

3 Verser l'eau en raclant le fond du faitout de façon à remuer la farine, porter à ébullition sans cesser de remuer et cuire 2 minutes. Mouiller avec le bouillon et remuer jusqu'à obtention d'une consistance homogène.

4 Ajouter la carotte, les haricots verts, les haricots de Lima, le maïs et le poulet, saler et poivrer selon son goût et porter de nouveau à ébullition. Réduire le feu, couvrir et laisser mijoter 35 minutes, jusqu'à ce que les légumes soient tendres.

5 Rectifier l'assaisonnement et répartir dans des assiettes à soupe chaudes.

# poulet jalfrezi

## 4 personnes

1 cuil. à café d'huile de graines
    de moutarde

3 cuil. à soupe d'huile

1 gros oignon, finement haché

3 gousses d'ail, hachées

1 cuil. à soupe de concentré
    de tomates

2 tomates, pelées et concassées

1 cuil. à café de curcuma

½ cuil. à café de cumin en poudre

½ cuil. à café de coriandre
    en poudre

½ cuil. à café de poudre de piment

½ cuil. à café de garam masala

1 cuil. à café de vinaigre de vin rouge

1 petit poivron rouge, émincé

125 g de fèves surgelées

500 g de blancs de poulet,
    cuits et coupés en cubes

sel

brins de coriandre fraîche

**1** Dans une poêle, chauffer l'huile de graines de moutarde 1 minute, jusqu'à ce qu'elle commence à fumer, ajouter l'huile, l'ail et l'oignon, et faire revenir jusqu'à ce qu'ils soient dorés.

**2** Incorporer les tomates, le concentré de tomates, le cumin, le curcuma, la coriandre, la poudre de piment, le garam masala et le vinaigre de vin, et remuer.

**3** Ajouter le poivron et les fèves, cuire 2 minutes sans cesser de remuer, jusqu'à ce que le poivron soit tendre, et incorporer le poulet. Saler et laisser mijoter 6 à 8 minutes à feu doux, jusqu'à ce que le poulet soit chaud et les fèves bien tendres.

**4** Garnir de brins de coriandre fraîche et servir immédiatement.

### CONSEIL

Ce plat est parfait pour utiliser les restes de dinde, de canard ou de caille. Vous pouvez également remplacer les fèves par toutes sortes de haricots ou par de la courge, des pommes de terre ou du brocoli. Évitez toutefois les légumes feuilles.

# poulet épicé aux aromates

## 4 à 6 personnes

3 cuil. à soupe d'huile d'olive

900 g de viande de poulet, coupé
en tranches

10 échalotes ou oignons grelots

3 carottes, coupées en dés

60 g de marrons, émincés

60 g d'amandes effilées, grillées

3 cuil. à café de cannelle en poudre

1 cuil. à café de noix muscade râpée

300 ml de vin blanc

300 ml de bouillon de poulet

175 ml de vinaigre de vin blanc

1 cuil. à soupe d'estragon haché

1 cuil. à soupe de persil frais haché

1 cuil. à soupe de thym frais haché

zeste râpé d'une orange

1 cuil. à soupe de sucre roux

125 g de grains de raisin noir,
épépinés et coupés en deux

sel et poivre

herbes aromatiques fraîches

riz sauvage ou purée de pommes
de terre, en accompagnement

### CONSEIL

Ce plat sera encore meilleur
servi avec des tranches épaisses
de pain complet frais à tremper
dans la sauce.

1 Dans un faitout, chauffer l'huile d'olive, ajouter le poulet, les carottes et les échalotes, et faire revenir 6 minutes.

2 Ajouter les ingrédients restants, sauf le raisin, et laisser mijoter 2 heures en remuant de temps en temps, jusqu'à ce que la viande soit tendre.

3 Ajouter le raisin, garnir de fines herbes et servir accompagné de riz sauvage ou de purée de pommes de terre.

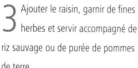

# nouilles au poulet

## 4 personnes

1 cuil. à soupe d'huile de maïs

1 oignon, émincé

1 gousse d'ail, hachée

1 morceau de gingembre de 2,5 cm,
  haché

1 botte d'oignons verts, émincés
  en biais

500 g de blancs de poulet, coupés
  en bouchées

2 cuil. à soupe de pâte de curry
  douce

450 ml de lait de coco

300 ml de bouillon de poulet

sel et poivre

250 g de nouilles aux œufs
  chinoises

2 cuil. à café de jus de citron

brins de basilic frais,
  en garniture

### CONSEIL

Si vous aimez les sensations
fortes, vous pouvez utiliser
de la pâte de curry forte que
l'on trouve dans la plupart
des supermarchés. Réduisez
la quantité à 1 cuillerée à soupe.

1 Chauffer l'huile dans un wok ou une sauteuse préchauffée.

2 Ajouter l'oignon, l'ail, le gingembre et les oignons verts, et faire revenir 2 minutes à feu moyen, jusqu'à ce que l'oignon soit tendre.

3 Ajouter le poulet et la pâte de curry, faire revenir 4 minutes, jusqu'à ce que le tout soit doré, et mouiller avec le lait de coco et le bouillon. Saler et poivrer selon son goût et mélanger.

4 Porter à ébullition, briser les nouilles et ajouter dans le wok. Couvrir et laisser mijoter 6 à 8 minutes, jusqu'à ce que les nouilles soient tendres.

5 Ajouter le jus de citron et rectifier l'assaisonnement.

6 Répartir dans des bols chauds, garnir de brins de basilic et servir immédiatement.

# toad in the hole

## 4 à 6 personnes

125 g de farine

1 pincée de sel

1 œuf, battu

200 ml de lait

75 ml d'eau

250 g de blanc de poulet

2 cuil. à soupe de graisse d'oie

250 g de saucisse de Toulouse

### VARIANTE

Remplacez le blanc de poulet par des cuisses de poulet désossées et sans peau. Vous pouvez aussi remplacer la saucisse de Toulouse par une autre variété de saucisse, chipolata ou fumée.

1 Dans une terrine, mélanger la farine et le sel, ménager un puits au centre et ajouter l'œuf battu.

2 Verser le lait progressivement dans le puits et mélanger à l'aide d'une cuillère en bois.

3 Remuer jusqu'à obtention d'une pâte homogène et ajouter le lait restant et l'eau.

4 Remuer de nouveau jusqu'à obtention d'une pâte homogène et laisser reposer 1 heure.

5 Enduire des moules individuels ou un grand moule avec la graisse d'oie et couper le poulet et la saucisse de sorte qu'il y ait un morceau dans chaque moule individuel, ou mettre le tout dans le grand moule.

6 Chauffer au four préchauffé, à 225 °C (th. 7-8), 5 minutes, sortir les moules du four et répartir la pâte sur la viande, sans remplir complètement de sorte que la préparation puisse lever à la cuisson.

7 Remettre au four, cuire encore 35 minutes, jusqu'à ce que la pâte ait levé et soit dorée, et laisser reposer 30 minutes dans le four fermé. Servir chaud, éventuellement nappé d'une sauce de son choix.

# pepperonata au poulet

## 4 personnes

8 hauts de cuisse de poulet,
   sans la peau
2 cuil. à soupe de farine complète
2 cuil. à soupe d'huile d'olive
1 petit oignon, finement émincé
1 gousse d'ail, hachée
3 gros poivrons (1 vert, 1 rouge,
   1 jaune), épépinés et coupés
   en fines lanières
400 g de tomates concassées
   en boîte
1 cuil. à soupe d'origan frais haché,
   un peu plus en garniture
sel et poivre
pain complet, en accompagnement

### CONSEIL

Pour renforcer le goût, coupez
les poivrons en deux
et passez-les au gril préchauffé,
jusqu'à ce que la peau ait noirci.
Laissez-les refroidir, épluchez-les
et épépinez-les. Enfin, coupez-les
en fines lanières. Si vous n'avez
pas d'origan frais, utilisez
des tomates aromatisées.

1 Enrober les hauts de cuisse de farine.

2 Dans une poêle, chauffer l'huile, ajouter le poulet et faire revenir, jusqu'à ce qu'il soit saisi et légèrement doré. Retirer de la poêle, ajouter l'oignon et cuire à feu doux, jusqu'à ce qu'il soit tendre. Ajouter l'ail, les poivrons, les tomates et l'origan, et porter à ébullition sans cesser de remuer.

3 Répartir le poulet sur les légumes, saler et poivrer selon son goût et couvrir. Laisser mijoter 20 à 25 minutes, jusqu'à ce que le poulet soit complètement cuit et tendre.

4 Rectifier l'assaisonnement, garnir d'origan et servir accompagné de pain complet frais.

# poulet karahi

## 4 personnes

2 cuil. à soupe de ghee
(beurre clarifié)

3 gousses d'ail, hachées

1 oignon, finement émincé

2 cuil. à soupe de garam masala

1 cuil. à café de graines
de coriandre moulues

½ cuil. à café de menthe séchée

1 feuille de laurier

750 g de filets de poulet, sans
la peau et coupés en dés

200 ml de bouillon de poulet

1 cuil. à soupe de coriandre hachée

naan ou chapatis chauds,
en accompagnement

**1** Dans un karahi, un wok ou une poêle, chauffer le ghee, ajouter l'ail et l'oignon, et cuire 4 minutes à feu vif, jusqu'à ce que l'oignon soit doré.

**2** Incorporer le garam masala, la coriandre en poudre, la menthe et la feuille de laurier.

**3** Ajouter le poulet, cuire 5 minutes à feu vif en remuant de temps en temps et mouiller avec le bouillon. Laisser mijoter 10 minutes, jusqu'à ce que la sauce ait épaissi et que le poulet rende un jus clair lorsqu'il est piqué dans sa partie la plus charnue à l'aide d'une brochette.

**4** Ajouter la coriandre fraîche, saler selon son goût et bien mélanger. Servir immédiatement avec du naan ou des chapatis chauds.

## CONSEIL

Préchauffez toujours le karahi
ou le wok avant d'y verser
l'huile afin de maintenir
une température élevée.

# poulet tikka

## 6 personnes

1 cuil. à café de gingembre frais
    haché

1 gousse d'ail, hachée

½ cuil. à café de coriandre
    en poudre

½ cuil. à café de cumin en poudre

1 cuil. à café de poudre de piment

3 cuil. à soupe de yaourt nature

1 cuil. à café de sel

2 cuil. à soupe de jus de citron

trait de colorant alimentaire rouge

1 cuil. à soupe de concentré
    de tomates

1,5 kg de blanc de poulet, sans
    la peau

1 oignon, coupé en tranches

3 cuil. à soupe d'huile d'olive

1 citron coupé en quartiers,
    en garniture

12 feuilles de laitue,
    en accompagnement

1 Mélanger le gingembre, l'ail, la coriandre, le cumin et la poudre de piment dans une terrine.

2 Ajouter le yaourt, le sel, le jus de citron, le colorant et le concentré de tomates.

3 À l'aide d'un couteau tranchant, couper le poulet en bouchées, ajouter dans la terrine et mélanger de sorte que le poulet soit bien enrobé. Couvrir et mettre au réfrigérateur 3 heures ou toute une nuit.

4 Disposer les oignons dans le fond d'un plat allant au four et napper d'huile.

5 Répartir le poulet sur les oignons, passer au gril préchauffé 25 à 30 minutes, en retournant une fois et en nappant d'huile.

6 Transférer sur un lit de laitue, garnir de quartiers de citron et servir immédiatement.

### CONSEIL

Pour couper les piments frais, il est conseillé de porter des gants car ils risquent d'irriter la peau, même après plusieurs heures.

# poulet à la sauce au citron vert

## 4 personnes

1 gros poulet, coupé en morceaux

60 g de farine, assaisonnée

2 cuil. à soupe d'huile

500 g d'oignons grelots
    ou d'échalotes, émincés

1 poivron vert et 1 poivron rouge,
    coupés en fines lanières

150 ml de bouillon de poulet

jus et zeste de 2 citrons verts

2 piments, hachés

2 cuil. à soupe de sauce d'huître

1 cuil. à café de sauce worcester

sel et poivre

### VARIANTE

Vous pouvez ajouter des biscuits au fromage : 30 minutes environ avant la fin de la cuisson, posez dessus des petits biscuits au fromage coupés en morceaux.

**1** Préchauffer le four à 190 °C (th. 6-7) et fariner les morceaux de poulet. Dans une poêle, chauffer l'huile, ajouter le poulet et faire revenir 4 minutes, jusqu'à ce qu'il soit doré.

**2** À l'aide d'une écumoire, transférer le poulet dans une cocotte, parsemer d'oignons et réserver au chaud.

**3** Ajouter les poivrons dans la poêle et cuire à feu doux. Mouiller avec le bouillon, ajouter le zeste et le jus de citron, et cuire encore 5 minutes.

**4** Ajouter les piments, la sauce d'huître et la sauce Worcester, et saler et poivrer selon son goût.

**5** Répartir la préparation obtenue sur le poulet et les oignons.

**6** Couvrir la cocotte à l'aide de papier d'aluminium ou avec un couvercle.

**7** Cuire au four préchauffé à mi-hauteur, 1 h 30, jusqu'à ce que le poulet soit bien tendre, et servir immédiatement.

# cocotte de poulet printanière

## 4 personnes

1 cuil. à soupe d'huile

8 pilons de poulet, sans la peau

1 petit oignon, émincé

350 g de petites carottes
   nouvelles

2 petits navets

125 g de fèves ou de petits pois

1 cuil. à café de maïzena

300 ml de bouillon de poulet

2 feuilles de laurier

sel et poivre

GALETTES

250 g de farine complète

2 cuil. à café de levure
   chimique

2 cuil. à soupe de margarine

2 cuil. à café de moutarde
   à l'ancienne

55 g de cheddar, râpé

lait écrémé, pour enduire

graines de sésame,
   en garniture

1 Dans une poêle, chauffer l'huile, ajouter le poulet et faire revenir sans cesser de remuer jusqu'à ce qu'il soit doré. Égoutter sur du papier absorbant et transférer dans une cocotte. Ajouter l'oignon dans la poêle et cuire 2 à 3 minutes sans cesser de remuer, jusqu'à ce qu'il soit fondant.

2 Couper les carottes et les navets en dés, et mettre dans la cocotte avec l'oignon et les fèves.

3 Dans une casserole, délayer la maïzena dans du bouillon, ajouter le bouillon restant et porter à ébullition à feu moyen sans cesser de remuer. Verser dans la cocotte, ajouter le laurier saler et poivrer selon son goût. Couvrir et cuire au four préchauffé, à 200 °C (th. 6-7), 50 à 60 minutes, jusqu'à ce que le poulet soit bien tendre et rende un jus clair.

4 Pour les galettes, tamiser la farine et la levure dans une terrine, incorporer la margarine à l'aide d'une fourchette et ajouter la moutarde, le fromage et du lait de façon à obtenir une pâte assez homogène. Abaisser la pâte, découper 16 galettes de 4 cm à l'aide d'un emporte-pièce et disposer en couche régulière sur le poulet. Enduire de lait, parsemer de graines de sésame et cuire au four encore 20 minutes, jusqu'à ce que les galettes soient bien dorées et fermes au toucher.

# poulet basquaise

## 4 à 5 personnes

1 poulet de 1,3 kg, en 8 morceaux

2 cuil. à soupe de farine

2 à 3 cuil. à soupe d'huile d'olive

1 gros oignon (d'Espagne,
	de préférence), émincé

2 poivrons, épépinés et coupés
	en biais en grosses lanières

2 gousses d'ail

150 g de chorizo fort, coupé en
	rondelles de 1 cm d'épaisseur

1 cuil. à soupe de concentré
	de tomates

200 g de riz long grain blanc ou
	de riz à grains courts espagnol,
	par exemple du riz de Valence

450 ml de bouillon de poulet

1 cuil. à café de piments séchés
	écrasés

½ cuil. à café de thym séché

120 g de jambon cru (par exemple
	de Bayonne), coupé en dés

12 olives noires

2 cuil. à soupe de persil plat frais
	haché

sel et poivre

1 Essuyer les morceaux de poulet avec du papier absorbant. Mettre la farine dans un sac en plastique, saler et poivrer selon son goût et ajouter les morceaux de poulet. Fermer le sac et le secouer jusqu'à ce que le poulet soit bien enrobé.

2 Dans une cocotte, chauffer 2 cuillerées à soupe d'huile à feu vif, ajouter le poulet et faire revenir 15 minutes en remuant fréquemment, jusqu'à ce qu'il soit doré uniformément. Transférer dans une assiette et réserver.

3 Chauffer l'huile restante dans la cocotte, ajouter l'oignon et les poivrons, et faire revenir à feu moyen sans cesser de remuer. Ajouter l'ail, le chorizo et le concentré de tomates, et faire revenir 3 minutes. Ajouter le riz et faire revenir encore 2 minutes.

4 Mouiller avec le bouillon, ajouter les piments écrasés et le thym, et saler. Porter à ébullition sans cesser de remuer, ajouter les morceaux de poulet dans la cocotte en les enfonçant légèrement dans le riz et couvrir. Cuire environ 45 minutes à feu très doux.

5 Incorporer le jambon, les olives et la moitié du persil, couvrir et cuire encore 5 minutes. Parsemer de persil et servir immédiatement.

# poulet aux oignons

## 4 personnes

300 ml d'huile

4 oignons moyens, hachés

1 cuil. à café ½ de gingembre frais
   finement haché

1 cuil. à café ½ de garam masala

1 cuil. à café ½ d'ail haché

1 cuil. à café de poudre de piment

1 cuil. à café de coriandre
   en poudre

3 graines de cardamome

3 cuil. à soupe de concentré
   de tomates

3 grains de poivre

8 cuisses de poulet, sans la peau

300 ml d'eau

2 cuil. à soupe de jus de citron

1 piment vert

feuilles de coriandre fraîche,
   en garniture

fines lanières de piment vert,
   en garniture

1 Dans une poêle, chauffer l'huile,
ajouter les oignons et faire revenir
jusqu'à ce qu'ils soient dorés
en remuant de temps en temps.

2 Réduire le feu et incorporer
le gingembre, le garam masala,
la poudre de piment, l'ail, la coriandre
en poudre, la cardamome et le poivre.

3 Incorporer le concentré de
tomates et cuire 5 à 7 minutes.

4 Ajouter les cuisses de poulet dans
la sauteuse et remuer de façon
à bien les enrober de sauce.

### CONSEIL

Préparé à l'avance
puis réchauffé, ce curry
n'en sera que meilleur :
les arômes se développeront
alors avec plus d'intensité.

5 Mouiller avec l'eau, couvrir
et laisser mijoter 20 à 25 minutes.

6 Incorporer le jus de citron,
le piment vert et la coriandre
fraîche, et mélanger soigneusement.

7 Répartir le poulet aux oignons
dans des assiettes chaudes, garnir
de coriandre et de lanières de piment,
et servir immédiatement.

# poulet au vin blanc

## 4 à 6 personnes

4 cuil. à soupe d'huile de tournesol

900 g de poulet, coupé en dés

250 g de champignons de Paris

125 g de lard fumé, découenné
et coupé en dés

16 échalotes

2 gousses d'ail, hachées

1 cuil. à soupe de farine

150 ml de bourgogne blanc

150 ml de bouillon de poulet

1 bouquet garni (1 feuille de laurier,
1 brin de thym, 1 branche
de céleri, 1 brin de persil
et 1 brin de sauge, attachés
avec de la ficelle de cuisine)

sel et poivre

ACCOMPAGNEMENT

croûtons frits

graisse d'oie

légumes cuits

**1** Préchauffer le four à 150 °C (th. 5). Dans une cocotte allant au four, chauffer l'huile, ajouter le poulet et faire revenir jusqu'à ce qu'il soit bien doré. Retirer de la cocotte à l'aide d'une écumoire.

**2** Ajouter les champignons, le lard, les échalotes et l'ail, et cuire 4 minutes.

**3** Remettre le poulet dans la cocotte, saupoudrer de farine et cuire encore 2 minutes sans cesser de remuer. Mouiller avec le vin et le bouillon de poulet, porter à ébullition sans cesser de remuer et ajouter le bouquet garni. Saler et poivrer.

**4** Couvrir la cocotte, cuire au four préchauffé à mi-hauteur, 1 h 30, et retirer le bouquet garni.

**5** Faire frire 8 gros croûtons en forme de cœur dans de la graisse d'oie et servir avec des légumes cuits.

### CONSEIL

Un vin rouge de bonne qualité
peut remplacer le vin blanc.
Il donnera une sauce riche,
d'un beau rouge sombre.

# poulet à l'orange

## 4 personnes

8 pilons de poulet, sans la peau

1 cuil. à soupe de farine complète

1 cuil. à soupe d'huile d'olive

2 oignons rouges moyens

1 gousse d'ail, hachée

1 cuil. à café de graines de fenouil

1 feuille de laurier

zeste finement râpé et jus

    d'une petite orange

400 g de tomates concassées

    en boîte

400 g de flageolets ou de borlotti

    en boîte, égouttés

sel et poivre noir

CROÛTONS

3 tranches épaisses de pain

    complet

2 cuil. à café d'huile d'olive

**1** Préchauffer le four à 190 °C (th. 6-7) et enrober les pilons de farine. Chauffer la moitié de l'huile dans un faitout allant au four, ajouter le poulet et faire revenir à feu assez vif, en remuant fréquemment. Retirer du faitout et réserver au chaud.

**2** Couper les oignons en quartiers, chauffer l'huile restante dans le faitout et faire revenir quelques minutes, jusqu'à ce qu'ils soient dorés. Ajouter l'ail et mélanger.

**3** Ajouter les graines de fenouil, le laurier, le zeste et le jus d'orange, les tomates, les haricots et le poulet, et saler et poivrer selon son goût.

**4** Couvrir, cuire au four préchauffé, 30 à 35 minutes, jusqu'à ce que le poulet rende un jus clair lorsqu'il est piqué dans sa partie la plus tendre à l'aide d'une brochette.

**5** Couper le pain en dés, mélanger avec l'huile et répartir sur le poulet dans la cocotte. Cuire encore 15 à 20 minutes, jusqu'à ce que le pain soit doré et croustillant, et servir chaud.

### CONSEIL

Choisissez des haricots conservés dans l'eau, sans addition de sucre ni de sel. Égouttez-les et rincez-les bien avant utilisation.

# potée de poulet aux haricots épicés

## 4 personnes

2 cuil. à soupe de farine

1 cuil. à café de poudre de piment

sel et poivre

8 ailes ou cuisses de poulet

3 cuil. à soupe d'huile

2 gousses d'ail, hachées

1 gros oignon, haché

1 poivron rouge ou vert, épépiné
et haché

300 ml de bouillon de poulet

350 g de tomates, concassées

400 g de haricots rouges, rincés
et égouttés

2 cuil. à soupe de concentré
de tomates

### CONSEIL

Pour plus de saveur,
utilisez du concentré de tomates
séchées au soleil.

1 Mettre la farine dans une terrine peu profonde, ajouter la poudre de piment et saler et poivrer selon son goût. Rincer le poulet et passer dans la farine de sorte qu'il soit bien enrobé.

2 Dans une poêle, chauffer l'huile, ajouter le poulet et cuire 3 à 4 minutes à feu vif en retournant souvent, jusqu'à ce qu'il soit doré uniformément.

3 Retirer de la poêle à l'aide d'une écumoire et égoutter sur du papier absorbant.

4 Ajouter l'ail, l'oignon et le poivron, et cuire 2 à 3 minutes à feu moyen en remuant de temps en temps, jusqu'à ce que les légumes soient dorés.

5 Mouiller avec le bouillon, ajouter les tomates, les haricots et le concentré de tomates, et remuer. Porter à ébullition, ajouter le poulet et réduire le feu. Couvrir et laisser mijoter 30 minutes, jusqu'à ce que le poulet soit tendre et qu'il rende un jus clair lorsqu'il est piqué dans sa partie la plus tendre à l'aide d'une brochette. Rectifier l'assaisonnement et servir immédiatement.

# poulet korma

## 8 personnes

1 cuil. à café ½ de gingembre frais
   finement haché

1 cuil. à café ½ d'ail haché

2 cuil. à café de garam masala

1 cuil. à café de poudre de piment

1 cuil. à café de graines de cumin
   noir

1 cuil. à café de sel

3 graines de cardamome verte,
   moulues

1 cuil. à café de coriandre
   en poudre

1 cuil. à café de poudre d'amandes

150 ml de yaourt nature

6 blancs de poulet, sans la peau

300 ml d'huile

2 oignons moyens, émincés

150 ml d'eau

feuilles de coriandre fraîche

1 piment vert, haché

riz nature, en accompagnement

1 Mélanger le gingembre, l'ail,
le garam masala, le sel, la poudre
de piment, le cumin, la cardamome,
la coriandre en poudre et la poudre
d'amandes avec le yaourt.

2 Napper les blancs de poulet de
la préparation obtenue et laisser
macérer.

3 Dans une poêle, chauffer l'huile,
ajouter les oignons et faire revenir
jusqu'à ce qu'ils soient dorés.

4 Ajouter les blancs de poulet
et cuire 5 à 7 minutes.

5 Verser l'eau, couvrir et laisser
mijoter 20 à 25 minutes.

### VARIANTE

Vous pouvez utiliser d'autres
morceaux que le blanc de poulet
mais prolongez la cuisson
de 10 minutes à l'étape 5.

6 Ajouter la coriandre fraîche
et le piment vert, et cuire encore
10 minutes en remuant délicatement
de temps en temps.

7 Transférer dans un plat de service
et servir accompagné de riz.

# goulasch au poulet

### 6 personnes

900 g de poulet, coupé en dés

60 g de farine, assaisonnée
avec 1 cuil. à café de paprika,
du sel et du poivre

2 cuil. à soupe d'huile d'olive

25 g de beurre

1 oignon, émincé

24 échalotes, épluchées

1 poivron rouge et 1 poivron vert,
épépinés et coupés en dés

1 cuil. à soupe de paprika

1 cuil. à café de romarin séché

4 cuil. à soupe de concentré
de tomates

300 ml de bouillon de poulet

150 ml de bordeaux rouge

400 g de tomates concassées
en boîte

150 ml de crème aigre

1 cuil. à soupe de persil frais haché,
en garniture

ACCOMPAGNEMENT

petits pains

mesclun

**1** Préchauffer le four à 160 °C
(th. 5-6) et passer le poulet dans
la farine, de sorte qu'il soit enrobé
uniformément.

**2** Dans une cocotte allant au four,
chauffer l'huile et le beurre,
ajouter l'oignon, les échalotes et les
poivrons, et faire revenir 3 minutes.

**3** Ajouter le poulet et cuire encore
4 minutes.

**4** Parsemer de paprika
et de romarin.

**5** Ajouter le concentré de tomates
et les tomates concassées,
mouiller avec le vin et le bouillon,
et couvrir. Cuire au four préchauffé
à mi-hauteur, 1 h 30.

**6** Sortir la cocotte du four, laisser
reposer 4 minutes et ajouter
la crème aigre. Garnir de persil.

**7** Servir accompagné de petits pains
et de salade.

---

**VARIANTE**

Vous pouvez remplacer le pain
par des pâtes au beurre. Un vin
rouge hongrois à la place du
bordeaux donnera à ce plat une
note plus authentique.

# risotto de poulet à la milanaise

## 4 personnes

125 g de beurre

900 g de poulet, finement
    émincé

1 gros oignon, haché

500 g de riz arborio

600 ml de bouillon de poulet

150 ml de vin blanc

1 cuil. à café de filaments
    de safran écrasés

sel et poivre

brins de persil plat,
    en accompagnement

55 g de parmesan râpé,
    en accompagnement

---

### VARIANTE

Les variantes que vous pouvez
préparer en prenant ce risotto
pour base sont infinies. Essayez
d'ajouter à la fin du temps
de cuisson : des noix de cajou,
du maïs, des courgettes braisées,
du basilic, des artichauts
ou des champignons.

---

**1** Dans une poêle, chauffer 55 g de beurre, ajouter le poulet et l'oignon, et faire revenir jusqu'à ce qu'ils soient dorés. Ajouter le riz, bien mélanger et cuire 15 minutes.

**2** Porter le bouillon à ébullition, incorporer progressivement à la préparation précédente et ajouter le vin blanc et le safran. Saler et poivrer selon son goût, bien mélanger et laisser mijoter 20 minutes, en remuant de temps en temps et en ajoutant du bouillon si le risotto devient trop sec.

**3** Laisser reposer quelques minutes, ajouter un peu de bouillon et laisser mijoter encore 10 minutes. Répartir dans des assiettes chaudes, parsemer de persil plat, de parmesan râpé et de noix de beurre, et servir immédiatement.

---

### CONSEIL

Les grains de riz doivent être
moelleux mais rester dissociés.
Ajoutez le bouillon petit à petit,
en attendant que le riz ait absorbé
le bouillon entre chaque ajout.

# fricassée de poulet

## 4 personnes

2 cuil. à soupe d'huile

4 morceaux de poulet
de 225 g chacun

2 poireaux, coupés en rondelles

1 gousse d'ail, hachée

4 cuil. à soupe de farine

900 ml de bouillon de poulet

300 ml de vin blanc sec

sel et poivre

125 g de carottes nouvelles,
coupées en deux dans
la longueur

125 g de mini épis de maïs, coupés
en deux dans la longueur

450 g de pommes de terre nouvelles

1 bouquet garni frais ou séché

150 ml de crème fraîche épaisse

riz, en accompagnement

### VARIANTE

Vous pouvez utiliser des blancs
de dinde si vous préférez,
et cuisiner les légumes
que vous avez sous la main.

1 Dans une poêle, chauffer l'huile, ajouter le poulet et faire revenir 10 minutes, jusqu'à ce qu'il soit doré. Transférer dans une cocotte à l'aide d'une écumoire.

2 Ajouter le poireau et l'ail, cuire 2 à 3 minutes sans cesser de remuer et ajouter la farine. Cuire encore 1 minute, retirer du feu et mouiller avec le bouillon et le vin. Saler et poivrer selon son goût.

3 Remettre la poêle sur le feu, porter à ébullition et ajouter les carottes, les épis de maïs, les pommes de terre et le bouquet garni.

4 Transférer dans la cocotte, couvrir et cuire au four préchauffé, à 180 °C (th. 6), 1 heure.

5 Retirer la cocotte du four, ajouter la crème fraîche et remettre au four. Cuire 15 minutes à découvert, retirer le bouquet garni et rectifier l'assaisonnement. Servir accompagné de riz nature ou de légumes frais.

# fricassée de poulet et ses boulettes

## 4 personnes

4 découpes de poulet

2 cuil. à soupe d'huile de tournesol

2 poireaux moyens

250 g de carottes, coupées
en morceaux

250 g de panais, coupés
en morceaux

2 petits navets, coupés en morceaux

600 ml de bouillon de poulet

3 cuil. à soupe de sauce Worcester

2 brins de romarin frais

sel et poivre

BOULETTES

200 g de farine levante

100 g de saindoux, coupé en dés

1 cuil. à soupe de feuilles
de romarin haché

2 à 3 cuil. à soupe d'eau froide

1 Retirer la peau du poulet, chauffer l'huile dans une cocotte et ajouter le poulet. Cuire jusqu'à ce qu'il soit doré, retirer de la cocotte à l'aide d'une écumoire et retirer l'excédent de graisse.

2 Éplucher les poireaux, couper en rondelles et mettre dans la cocotte. Ajouter les carottes, les panais et les navets, cuire 5 minutes, jusqu'à ce qu'ils soient légèrement dorés, et remettre le poulet dans la cocotte.

3 Mouiller avec le bouillon, ajouter la sauce Worcester et le romarin, et saler et poivrer selon son goût. Porter à ébullition.

4 Réduire le feu, couvrir et laisser mijoter 50 minutes, jusqu'à ce que le poulet rende un jus clair lorsqu'il est piqué dans sa partie la plus tendre à l'aide d'une brochette.

5 Pour les boulettes, mettre la farine, le saindoux et les feuilles de romarin dans une terrine, saler et poivrer selon son goût et incorporer de l'eau froide de façon à obtenir une pâte ferme.

6 Façonner 8 boulettes, disposer sur le poulet et les légumes, et couvrir. Laisser mijoter encore 10 à 12 minutes, jusqu'à ce que les boulettes aient bien levé et servir immédiatement dans la cocotte.

# ragoût de poulet à l'ail

## 4 personnes

4 cuil. à soupe d'huile de maïs

900 g de poulet, sans la peau,
  désossé et coupé en morceaux

250 g de champignons, émincés

16 échalotes

6 gousses d'ail, hachées

1 cuil. à soupe de farine

250 ml de vin blanc

250 ml de bouillon de poulet

1 bouquet garni (1 feuille de laurier,
  1 brin de thym, de persil et de
  sauge et ½ branche de céleri
  noués à l'aide de fil de cuisine)

sel et poivre

400 g de haricots cannellini
  en boîte, égouttés et rincés

petites courges, en accompagnement

1 Préchauffer le four à 150 °C
(th. 5). Chauffer l'huile dans une
cocotte allant au four, ajouter le poulet
et faire revenir jusqu'à ce qu'il soit doré
uniformément. Retirer à l'aide d'une
écumoire et réserver.

2 Mettre les champignons,
les échalotes et l'ail dans
la cocotte et faire revenir 4 minutes.

3 Remettre les morceaux de poulet
dans la cocotte, saupoudrer de
farine et cuire encore 2 minutes.

4 Mouiller avec le vin et le bouillon,
porter à ébullition sans cesser
de remuer et ajouter le bouquet garni.
Saler et poivrer selon son goût.

5 Ajouter les haricots, couvrir
et cuire au four préchauffé,
2 heures. Retirer le bouquet garni
et servir accompágné de petites
courges.

### CONSEIL

Les champignons sont riches
en arôme et sans matière grasse.
À vous de trouver la variété
qui vous convient parmi celles
qui sont proposées dans
les supermarchés. Pour plus
de consistance, servez ce plat
accompagné de riz complet
ou de blé cuit.

# poulet thaïlandais

## 4 personnes

6 cuisses de poulet, désossées
   et sans la peau
400 ml de lait de coco
2 gousses d'ail, hachées
2 cuil. à soupe de sauce de poisson
2 cuil. à soupe de pâte de curry vert
12 aubergines naines
3 piments verts, hachés
3 feuilles de lime kafir ciselées
4 cuil. à soupe de feuilles
   de coriandre hachée
sel et poivre
riz, en accompagnement

1 Couper les cuisses de poulet en cubes. Verser le lait de coco dans un wok ou une grande sauteuse et porter à ébullition à feu vif.

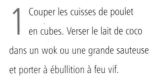

2 Ajouter le poulet, l'ail et la sauce de poisson, porter de nouveau à ébullition et réduire le feu. Laisser mijoter 30 minutes à feu doux, jusqu'à ce que le poulet soit tendre.

3 Retirer le poulet du wok ou de la sauteuse et réserver au chaud.

4 Incorporer la pâte de curry dans le wok, ajouter les aubergines,

### CONSEIL

Les aubergines naines,
également appelées
« pommes thaïes », utilisées
dans ce plat, ne sont pas faciles
à trouver en Occident.
Vous pouvez les remplacer par
des aubergines ordinaires
coupées en cubes.

le piment et les feuilles de lime, et laisser mijoter 5 minutes.

5 Remettre le poulet dans le wok, porter de nouveau à ébullition et saler et poivrer selon son goût. Incorporer la coriandre et servir immédiatement, accompagné de riz.

# poulet à la sauge et au riz

## 4 personnes

1 gros oignon, haché

1 gousse d'ail, hachée

2 branches de céleri, émincées

2 carottes, coupées en dés

2 brins de sauge fraîche

300 ml de bouillon de poulet

350 g de blancs de poulet,
sans la peau

225 g de riz complet et blanc
mélangés

400 g de tomates concassées
en boîte

2 courgettes moyennes, épluchées
et coupées en fines rondelles

100 g de jambon maigre, coupé
en dés

1 ou 2 gouttes de Tabasco

sel et poivre

sauge fraîche, en garniture

ACCOMPAGNEMENT

feuilles de salades

pain frais ou suédois

### CONSEIL

Si vous n'avez pas de sauge
fraîche, utilisez de la sauge
déshydratée à l'étape 1.

1 Dans une casserole, mettre l'ail, l'oignon, le céleri, les carottes et les brins de sauge fraîche, et mouiller avec le bouillon de poulet. Porter à ébullition, couvrir et laisser mijoter 5 minutes.

2 Couper le poulet en dés de 2,5 cm de côté, incorporer aux légumes et cuire encore 5 minutes à couvert.

3 Ajouter le riz et les tomates sans cesser de remuer. Ajoutez le Tabasco, saler et poivrer selon son goût et porter à ébullition. Couvrir et laisser mijoter 25 minutes.

4 Incorporer les courgettes et les dés de jambon, retirer le couvercle et cuire encore 10 minutes sans cesser de remuer, jusqu'à ce que le riz soit juste tendre.

5 À l'aide d'une écumoire, retirer la sauge, garnir de feuilles de sauge fraîche et servir accompagné de salade verte et de pain frais. Garnir de quelques feuilles de sauge et servir accompagné de salade et de pain frais.

# poulet sauce au beurre

## 4 à 6 personnes

100 g de beurre

1 cuil. à soupe d'huile

2 oignons moyens, finement hachés

1 cuil. à café de gingembre frais
   haché

2 cuil. à café de garam masala

1 cuil. à café de coriandre
   en poudre

1 cuil. à café d'ail haché

1 cuil. à café de poudre de piment

1 cuil. à café de graines de cumin

1 cuil. à café de sel

3 graines de cardamome verte

3 grains de poivre noir

2 cuil. à soupe de concentré
   de tomates

8 morceaux de poulet, sans la peau

150 ml de yaourt nature

150 ml d'eau

2 feuilles de laurier

150 ml de crème fraîche liquide

GARNITURE

feuilles de coriandre fraîche

2 piments verts, hachés

1 Dans une sauteuse, faire fondre le beurre avec l'huile, ajouter les oignons et faire revenir sans cesser de remuer. Réduire le feu.

2 Mettre le gingembre haché dans une terrine, ajouter le garam masala, la coriandre en poudre, la poudre de piment, le cumin, l'ail, le sel, la cardamome et le poivre, et incorporer le concentré de tomates et le yaourt.

3 Ajouter le poulet dans la terrine et remuer de façon à bien l'enrober.

4 Ajouter le poulet dans la sauteuse et faire revenir sans cesser de remuer 5 à 7 minutes.

5 Ajouter l'eau et les feuilles de laurier, et laisser mijoter 30 minutes, en remuant de temps en temps.

6 Incorporer la crème fraîche et cuire encore 10 à 15 minutes.

7 Parsemer de coriandre fraîche et de piment vert, et servir Immédiatement.

# ragoût de poulet à la bretonne

## 6 personnes

500 g de flageolets secs,
   mis à tremper une nuit dans
   l'eau froide et égouttés
2 cuil. à soupe de beurre
2 cuil. à soupe d'huile d'olive
3 tranches de lard, découenné
   et haché
900 g de découpes de poulet
1 cuil. à soupe de farine
300 ml de cidre
160 ml de bouillon de poulet
sel et poivre
14 échalotes
2 cuil. à soupe de miel liquide,
   chauffé
250 g de betteraves, cuites

1 Préchauffer le four à 160 °C
(th. 5-6). Porter à ébullition
une casserole d'eau salée, ajouter
les haricots et cuire 25 minutes.
Égoutter.

2 Chauffer l'huile et le beurre dans
une cocotte allant au four, ajouter
le poulet et le lard, et faire revenir
5 minutes.

3 Ajouter la farine, mouiller avec
le cidre et le bouillon en remuant
de façon à éviter la formation
de grumeaux et saler et poivrer selon
son goût. Porter à ébullition.

4 Ajouter les haricots, couvrir
et cuire au four préchauffé
à mi-hauteur, 1 h 45, jusqu'à ce que
le poulet rende un jus clair lorsqu'il est
piqué dans sa partie la plus tendre.

5 Retirer le couvercle et cuire encore
15 minutes.

6 Mettre les échalotes dans
une poêle, ajouter le miel et cuire
5 minutes à feu doux en remuant
fréquemment les échalotes à l'aide
d'une spatule.

7 Ajouter les échalotes et les
betteraves dans la cocotte,
cuire encore 15 minutes et servir
immédiatement.

### CONSEIL
Pour une préparation plus rapide,
utilisez des flageolets en boîte.
Prenez soin de bien les rincer et
de les égoutter avant utilisation.

# poêlée de poulet aux prunes

## 4 personnes

2 tranches de lard maigre,
dégraissé et coupé en dés
1 cuil. à soupe d'huile de tournesol
450 g de cuisses de poulet,
sans la peau, désossées
et coupées en quatre
1 gousse d'ail, hachée
175 g d'échalotes, coupées en deux
225 g de prunes, dénoyautées
et coupées en deux ou
en quatre pour les plus grosses
1 cuil. à soupe de sucre roux
150 ml de xérès sec
2 cuil. à soupe de jus de prunes
2 cuil. à café de maïzena, délayée
dans 4 cuil. à café d'eau froide
450 g de bouillon de poulet
2 cuil. à soupe de persil plat haché,
en garniture
pain frais ou pain suédois,
en accompagnement

---

### VARIANTE

Des morceaux de dinde
ou de porc maigres conviennent
également bien à ce mariage
de saveurs. Le temps de cuisson
reste le même.

---

1 Dans une poêle antiadhésive, mettre le lard, faire revenir 2 à 3 minutes sans matière grasse, jusqu'à ce qu'il perde son jus, et retirer de la poêle. Réserver au chaud.

2 Chauffer l'huile dans la poêle, ajouter le poulet, les échalotes, et l'ail, et faire revenir 4 à 5 minutes en remuant de temps en temps, jusqu'à ce que la viande soit bien dorée.

3 Remettre le lard dans la poêle, ajouter les prunes et le sucre, et mouiller avec le xérès, le jus de prunes et le bouillon. Porter à ébullition, et cuire 20 minutes à feu doux, jusqu'à ce que les prunes soient tendres et que le poulet soit bien cuit.

4 Ajouter la pâte de maïzena dans la poêle et cuire 2 à 3 minutes sans cesser de remuer, jusqu'à ce que la préparation épaississe.

5 Répartir la poêlée dans des assiettes chaudes, garnir de persil et servir accompagné de pain frais ou de pain suédois.

# risotto doré au poulet

## 4 personnes

2 cuil. à soupe d'huile de maïs

15 g de beurre ou de margarine

1 poireau moyen, finement émincé

1 gros poivron jaune, épépiné
et coupé en dés

3 blancs de poulet, sans la peau
et coupés en dés

350 g de riz arborio

filaments de safran

sel et poivre

1,5 l de bouillon de poulet,
frémissant

200 g de maïs en boîte

55 g de cacahuètes non salées,
grillées

55 g de parmesan, fraîchement
râpé

### CONSEIL

Le risotto peut se conserver
un mois au congélateur sans
le parmesan. Veillez ensuite
à bien le réchauffer, pour que
le poulet soit bien chaud.

1 Dans une casserole, chauffer l'huile
et le beurre, ajouter le poireau
et le poivron, et cuire 1 minute. Ajouter
le poulet et cuire sans cesser de remuer,
jusqu'à ce qu'il soit doré.

2 Ajouter le riz, cuire 2 à 3 minutes
et ajouter le safran. Saler et poivrer.

3 Mouiller progressivement avec
le bouillon et cuire à feu doux
20 minutes sans cesser de remuer,
jusqu'à ce que le riz soit tendre et le
bouillon presque entièrement absorbé,
en ajoutant du bouillon si le risotto
devient sec.

4 Incorporer le maïs, les cacahuètes
et le parmesan, rectifier
l'assaisonnement et servir chaud.

# poulet tandoori

### 4 personnes

8 pilons de poulet, sans la peau
150 ml de yaourt nature
1 cuil. à café ½ de gingembre frais
   finement haché
1 cuil. à café ½ d'ail haché
1 cuil. à café de poudre de piment
2 cuil. à café de cumin en poudre
2 cuil. à café de coriandre
   en poudre
1 cuil. à café de sel
½ cuil. à café de colorant
   alimentaire rouge
1 cuil. à soupe de pâte de tamarin
150 ml d'eau
150 ml d'huile
ACCOMPAGNEMENT
feuilles de laitues
rondelles d'oignons
quartiers de citron
naan (pain indien)

**1** Pratiquer 2 ou 3 incisions sur chaque morceau de poulet.

**2** Dans une terrine, mélanger le yaourt, le gingembre, l'ail, la poudre de piment, le cumin, la coriandre, le sel et le colorant.

**3** Ajouter les pilons à la préparation précédente, mélanger de façon à bien enrober le poulet et laisser mariner au moins 3 heures.

**4** Dans une autre terrine, délayer la pâte de tamarin dans l'eau, incorporer dans la marinade et laisser mariner encore 3 heures.

**5** Disposer les pilons dans un plat allant au four, enduire légèrement d'huile et passer au gril préchauffé,

30 à 35 minutes, en les retournant de temps en temps et en les arrosant avec l'huile restante.

**6** Disposer les pilons sur les feuilles de laitue, décorer de citron et de rondelles d'oignons, et servir accompagné de naan.

> **CONSEIL**
> Accompagnez ce mets de petits
> pains naans et d'une sauce
> raïta à la menthe.

# poulet au madère

## 8 personnes

25 g de beurre

20 oignons grelots

250 g de carottes, coupées
en rondelles

250 g de lard, coupé en dés

250 g de champignons de Paris

1 poulet d'environ 1,5 kg

425 ml de vin blanc

25 g de farine, assaisonnée

425 ml de bouillon de poulet

1 bouquet garni

150 ml de madère

sel et poivre

purée de pommes de terre ou pâtes,
en accompagnement

### CONSEIL

Vous pouvez ajouter à cette
recette l'assortiment d'aromates
de votre choix. Si vous utilisez
du cerfeuil, ne le mettez
qu'en fin de cuisson, pour que
son goût délicat soit préservé.
Le persil et l'estragon se marient
très bien avec le poulet.

1 Dans une poêle, chauffer le beurre, ajouter les oignons, les carottes, le lard et les champignons, et faire revenir 3 minutes, en remuant de temps en temps. Transférer dans une cocotte.

2 Ajouter le poulet dans la poêle, faire revenir jusqu'à ce qu'il soit doré uniformément et transférer dans la cocotte avec les légumes et le lard.

3 Mouiller avec le vin blanc et cuire jusqu'à ce que la préparation réduise presque entièrement.

4 Saupoudrer la farine assaisonnée en remuant de façon à éviter la formation de grumeaux.

5 Mouiller avec le bouillon, ajouter le bouquet garni et saler et poivrer selon son goût. Couvrir, cuire 1 h 30 et ajouter le madère. Retirer le couvercle et cuire encore 30 minutes.

6 Découper le poulet et servir accompagné de purée de pommes de terre ou des pâtes.

# gratin de poulet campagnard

## 4 personnes

4 quarts de poulet

6 pommes de terre, coupées
en rondelles de 5 mm

sel et poivre

2 brins de thym frais

2 brins de romarin frais

2 feuilles de laurier

200 g de lard fumé, découenné
et coupé en dés

1 gros oignon, finement haché

2 carottes, coupées en rondelles

150 ml de stout (bière brune)

2 cuil. à soupe de beurre fondu

### CONSEIL

Pour un repas encore plus festif,
servez le gratin accompagné
de boulettes persillées.

1 Préchauffer le four à 150 °C (th. 5),
retirer la peau du poulet et couper
les pommes de terre en rondelles
de 5 mm.

2 Disposer la moitié des rondelles
de pommes de terre en couche
régulière dans une cocotte, saler
et poivrer selon son goût et ajouter
le thym, le romarin et le laurier.

3 Couvrir avec les quarts de poulet,
garnir de dés de lard, d'oignon
et de carottes, et saler et poivrer
de nouveau. Disposer les rondelles
de pommes de terre restantes
en couche hermétique et régulière
sur les autres ingrédients.

4 Arroser de stout, enduire
les pommes de terre de beurre
fondu et couvrir la cocotte.

5 Cuire au four préchauffé, 1 h 30,
retirer le couvercle et cuire
encore 30 minutes, jusqu'à ce que
les pommes de terre soient dorées.
Servir immédiatement.

# poulet campagnard au cidre

## 4 personnes

2 cuil. à soupe d'huile de maïs

4 quarts de poulet

16 oignons grelots,
   pelés

3 branches de céleri, émincées

400 g de haricots rouges en boîte

4 tomates, coupées en quatre

180 ml de cidre brut

4 cuil. à soupe de persil frais
   haché

sel et poivre

1 cuil. à café de paprika

2 cuil. à soupe de beurre

12 tranches de baguette

---

### CONSEIL

Pour plus de saveur, ajoutez
une gousse d'ail pilée au beurre.

1 Préchauffer le four à 200 °C
(th. 6-7). Chauffer l'huile dans
une cocotte, ajouter 2 quarts de poulet
et faire revenir jusqu'à ce qu'ils soient
bien dorés. Retirer à l'aide d'une
écumoire, réserver et répéter l'opération
avec les quarts restants.

2 Ajouter les oignons, faire revenir
en remuant de temps en temps
jusqu'à ce qu'ils soient dorés et ajouter
le céleri. Cuire 2 à 3 minutes, ajouter
le poulet et incorporer les haricots
rouges, les tomates, le cidre et la moitié
du persil. Saler et poivrer selon son
goût et saupoudrer de paprika.

3 Couvrir et cuire au four préchauffé
20 à 25 minutes, jusqu'à ce que
le poulet rende un jus clair lorsqu'il est
piqué dans sa partie la plus tendre
à l'aide d'une fourchette.

4 Mélanger le beurre et le persil, et
enduire les tranches de baguette.

5 Retirer le couvercle, disposer
le pain sur la préparation et cuire
10 à 12 minutes, jusqu'à ce que le pain
soient doré et croustillant. Servir chaud.

# poulet grillé aux épices

## 4 personnes

50 g de poudre d'amandes

50 g de noix de coco déshydratée

150 ml d'huile

1 oignon moyen, finement haché

1 cuil. à café de gingembre haché

1 cuil. à café d'ail haché

1 cuil. à café de poudre de piment

1 cuil. à café ½ de garam masala

1 cuil. à café de sel

150 ml de yaourt nature

1 poulet coupé en quatre,
    sans la peau

salade verte

GARNITURE

feuilles de coriandre fraîche

1 citron, coupé en quartiers

**1** Dans une sauteuse à fond épais, mettre la poudre d'amandes et la noix de coco, faire griller sans matière grasse et réserver.

**2** Chauffer l'huile dans une poêle, ajouter l'oignon et faire revenir jusqu'à ce qu'ils brunissent.

**3** Mélanger l'ail, le gingembre, le garam masala, le sel, la poudre de piment et le yaourt, et incorporer la poudre d'amandes et de noix de coco.

**4** Ajouter l'oignon, bien mélanger et réserver.

**5** Disposer les morceaux de poulet dans un plat allant au four et enduire du mélange épicé en retournant de façon à bien les enrober.

**6** Cuire au four préchauffé, à 160 °C (th. 5-6), 35 à 40 minutes, jusqu'à ce que le poulet rende un jus clair lorsqu'il est piqué dans sa partie la plus tendre à l'aide d'une brochette. Garnir de quartiers de citron et de coriandre, et servir avec une salade verte.

### CONSEIL

Pour un plat plus épicé, augmentez la quantité de poudre de piment et de garam masala.

# poulet aux oignons grelots et petits pois

## 4 personnes

55 g de beurre

250 g de lard gras

16 oignons grelots ou échalotes, pelés

1 kg de morceaux de poulet, désossés

25 g de farine

600 ml de bouillon de poulet

1 bouquet garni, frais ou séché

500 g de petits pois frais

sel et poivre

### CONSEIL

Pour moins de matières grasses, utilisez du lard dégraissé, coupé en cubes.

1 Couper le lard en cubes à l'aide d'un couteau tranchant. Porter une casserole d'eau à ébullition, ajouter le lard et cuire 3 minutes. Égoutter et sécher sur du papier absorbant.

2 Dans une poêle, faire fondre le beurre, ajouter le lard et les oignons, et faire revenir 3 minutes à feu doux, jusqu'à ce qu'ils soient dorés.

3 Retirer le lard et les oignons, et réserver. Ajouter le poulet dans la poêle, faire revenir jusqu'à ce qu'il soit doré et transférer dans une cocotte.

4 Ajouter la farine dans la poêle, cuire sans cesser de remuer jusqu'à ce qu'elle commence à roussir et mouiller progressivement avec le bouillon.

5 Napper le poulet de sauce, ajouter le bouquet garni et cuire au four préchauffé, à 200 °C (th. 6-7), 35 minutes, jusqu'à ce que le poulet rende un jus clair lorsqu'il est piqué dans sa partie la plus tendre à l'aide d'une brochette.

6 Retirer le bouquet garni environ 10 minutes avant la fin de la cuisson, ajouter les petits pois, le lard et les oignons, et mélanger. Saler et poivrer selon son goût et remettre au four.

7 Transférer le poulet dans un plat de service, garnir de lard, de petits pois et d'oignons, et servir.

# poulet à la jamaïcaine

## 4 personnes

2 cuil. à café d'huile de maïs

4 pilons de poulet

4 cuisses de poulet

1 oignon moyen

1 courge ou 1 potiron de 750 g

1 poivron vert

1 morceau de gingembre frais
   de 2,5 cm, finement haché

300 ml de bouillon de poulet

400 g de tomates concassées
   en boîte

130 g de lentilles rouges

sel à l'ail

poivre de Cayenne

350 g de maïs en boîte,
   égoutté

sel et poivre

pain frais, en accompagnement

### VARIANTE

À défaut de courge ou de potiron, utilisez des rutabagas. Vous pouvez également remplacer le gingembre par 1 cuillerée à café de poivre de la Jamaïque.

1 Préchauffer le four à 190 °C (th. 6-7). Chauffer l'huile dans une cocotte, ajouter le poulet et faire revenir en remuant fréquemment, jusqu'à ce qu'il soit bien doré.

2 À l'aide d'un couteau tranchant, peler et émincer l'oignon et le poivron, peler la courge ou le potiron, et couper la chair en dés.

3 Retirer l'excédent de graisse de la cocotte, ajouter les morceaux d'oignon, de poivron et de courge ou de potiron, et faire revenir 3 à 4 minutes à feu doux, jusqu'à ce qu'ils commencent à dorer. Ajouter le gingembre, les tomates et les lentilles, mouiller avec le bouillon et saler et poivrer selon son goût.

4 Couvrir et cuire au four préchauffé, jusqu'à ce que les légumes soient tendres et que le poulet rende un jus clair lorsqu'il est piqué dans sa partie la plus tendre à l'aide d'une brochette.

5 Ajouter le maïs, cuire 5 minutes et saler et poivrer selon son goût. Servir accompagné de pain frais.

# poulet à la méditerranéenne

## 4 personnes

8 hauts de cuisse de poulet

2 cuil. à soupe d'huile d'olive

1 oignon rouge moyen,
émincé

2 gousses d'ail, hachées

1 gros poivron rouge, coupé
en grosses lanières

zeste et jus d'une petite orange

125 ml de bouillon de poulet

400 g de tomates concassées
en boîte

25 g de tomates séchées,
coupées en fines lanières

1 cuil. à soupe de thym frais
haché

50 g d'olives noires, dénoyautées

sel et poivre

brins de thym, en garniture

zeste d'orange, en garniture

pain frais, en accompagnement

### CONSEIL

Les tomates séchées ont une
texture dense et un goût très
concentré. Elles donnent
de la saveur aux fricassées.

1 Dans une poêle antiadhésive,
mettre le poulet, cuire à feu vif
sans matière grasse en remuant
de temps en temps jusqu'à ce qu'il soit
doré et transférer dans une cocotte
à l'aide d'une écumoire. Retirer
l'excédent de graisse.

2 Ajouter l'oignon, le poivron
et l'ail dans la poêle, chauffer
3 à 4 minutes à feu doux et transférer
dans la cocotte.

3 Ajouter le zeste d'orange,
les tomates concassées
et les tomates séchées, mouiller avec
le jus d'orange et le bouillon, et bien
mélanger.

4 Porter à ébullition, couvrir
et laisser mijoter 1 heure à feu
très doux, en remuant de temps en
temps. Ajouter le thym et les olives,
et rectifier l'assaisonnement.

5 Parsemer la préparation de zeste
d'orange et de thym, et servir
accompagné de pain frais.

# poulet à l'orange et aux graines de sésame

## 4 personnes

2 cuil. à soupe d'huile de maïs

1 poulet d'environ 1,5 kg

2 grosses oranges

2 petits oignons, coupés
en quartiers

150 ml de jus d'orange

500 g de petites carottes entières
ou de carottes fines coupées
en morceaux de 5 cm de long

2 cuil. à soupe de cognac

2 cuil. à soupe de graines
de sésame

1 cuil. à soupe de maïzena

sel et poivre

### VARIANTE

Pour un goût d'agrumes plus
piquant, remplacez les oranges
par des citrons, et mettez 1 brin
de thym à l'intérieur du poulet
avec le 1/2 citron : leurs saveurs
se marient bien.

**1** Chauffer l'huile dans une cocotte, ajouter le poulet et faire revenir en le retournant de temps en temps.

**2** Couper une orange en deux, insérer une moitié à l'intérieur du poulet et mettre le poulet dans une cocotte. Disposer les oignons et les carottes autour.

**3** Saler et poivrer selon son goût et verser le jus d'orange.

**4** Couper les oranges restantes en minces quartiers et disposer autour du poulet sur les légumes.

**5** Couvrir, cuire au four préchauffé, à 180 °C (th. 6), 1 h 30, jusqu'à ce que le poulet rende un jus clair lorsqu'il est piqué dans sa partie la plus tendre à l'aide d'une brochette. Retirer le couvercle, verser le cognac sur le poulet et parsemer de graines de sésame. Cuire encore 10 minutes.

**6** Transférer le poulet dans un plat, disposer les légumes autour et dégraisser la sauce si nécessaire. Délayer la maïzena avec 1 cuillerée à soupe d'eau froide, incorporer cette préparation obtenue à la sauce et porter à ébullition sans cesser de remuer. Rectifier l'assaisonnement et servir le poulet avec la sauce.

# poulet à l'antillaise

## 4 personnes

8 pilons de poulet, sans la peau

2 citrons verts

1 cuil. à café de poivre de Cayenne

2 mangues

2 cuil. à soupe de sucre
   de canne brun

quartiers de citrons verts
   et persil frais, en garniture

2 cuil. à soupe de noix de coco
   grossièrement râpée,
   en accompagnement

1 cuil. à soupe d'huile de tournesol

### CONSEIL

La peau des mangues
mûres peut aller du vert
au rouge clair, et leur chair
du jaune pâle à l'orange vif.
Choisissez des mangues
dont la chair est souple
au toucher.

1 À l'aide d'un couteau tranchant, pratiquer des entailles dans les pilons à intervalles réguliers et mettre dans une terrine.

2 Râper le zeste des citrons verts et réserver.

3 Presser les citrons verts, verser le jus sur le poulet et saupoudrer de poivre de Cayenne. Couvrir et mettre au réfrigérateur au moins 2 heures ou toute une nuit.

4 Éplucher les mangues et les couper en deux. Retirer le noyau et couper la chair en tranches.

5 Retirer les pilons de la marinade à l'aide d'une écumoire et réserver le jus. Chauffer l'huile dans une poêle, ajouter le poulet et faire revenir en remuant fréquemment. Incorporer la marinade, le zeste de citron vert, les tranches de mangue et le sucre de canne.

6 Couvrir et faire mijoter 15 minutes en remuant de temps en temps, jusqu'à ce que le poulet rende un jus clair lorsqu'il est piqué dans sa partie la plus tendre à l'aide d'une brochette. Saupoudrer de noix de coco râpée et garnir de quartiers de citron et de persil frais.

# Légumes

Les nutritionnistes conseillent de manger beaucoup de légumes mais ce n'est pas toujours simple de convaincre son entourage  de manger des haricots verts, surtout s'ils sont négligemment entassés sur le bord des assiettes. Ce chapitre vous donnera des idées de recettes à base de légumes d'une incroyable variété : soupes, gratins, risottos, ragoûts et currys. Les haricots, les pois, les lentilles, les brocolis, les choux-fleurs, les champignons, les poivrons, les oignons, les courgettes, les tomates et même les pommes de terre, tous ces légumes sont tous combinés dans des mélanges végétariens fondants ou sont ajoutés à d'autres ingrédients, comme les pâtes, pour satisfaire les appétits les plus voraces. Des légumes en guise de plat principal vous permettront de varier vos menus de la semaine, du risotto aux champignons et au fromage (page 171) au curry de légumes à la noix de coco (page 191), les légumes n'ont jamais été aussi appétissants et délicieux.

# potage de légumes grillés

## 6 personnes

2 à 3 cuil. à soupe d'huile d'olive

700 g de tomates mûres, pelées,
coupées en deux et évidées

3 gros poivrons jaunes, coupés
en deux, évidés et épépinés

3 courgettes, coupées en deux
dans la longueur

1 petite aubergine, coupée en deux
dans la longueur

4 gousses d'ail, coupées en deux

2 oignons, coupés en huit

sel et poivre

1 pincée de thym séché

1 litre de bouillon de légumes

125 ml de crème fraîche allégée

feuilles de basilic ciselées,
en garniture

2 Cuire au four préchauffé, à 190 °C (th. 6-7), 30 à 35 minutes, jusqu'à ce que les légumes soient tendres et légèrement brunis sur les bords, laisser refroidir et retirer la chair de l'aubergine. Peler les poivrons.

3 Mettre l'aubergine, la chair des poivrons et la courgette dans un robot de cuisine et mixer grossièrement en plusieurs fois, sans réduire en purée, ou mettre dans une terrine et hacher à l'aide d'un couteau.

4 Mélanger le bouillon et les légumes hachés dans une casserole et laisser mijoter 20 à 30 minutes à feu moyen, jusqu'à ce que les légumes soient tendres et les arômes bien mélangés.

5 Incorporer la crème fraîche, laisser mijoter 5 minutes à feu doux en remuant de temps en temps, jusqu'à ce que la soupe soit bien chaude, et rectifier l'assaisonnement. Répartir dans des assiettes à soupe chaudes, garnir de basilic et servir.

1 Graisser une plaque de four avec l'huile d'olive, disposer les tomates, les poivrons, les courgettes et l'aubergine en une seule couche, côté coupé vers le bas, en utilisant deux plaques si nécessaire, et ajouter l'ail et les oignons. Arroser les légumes d'huile d'olive, saler et poivrer légèrement et parsemer de thym.

# soupe toscane aux haricots et légumes

## 4 personnes

1 oignon moyen, haché

1 gousse d'ail, finement hachée

2 branches de céleri, émincées

1 grande carotte, coupée en dés

400 g de tomates concassées
   en boîte

150 ml de vin rouge italien

1,2 l de bouillon de légumes

425 g de légumes à gousse en boîte
   (haricots, fèves, pois chiches, etc.)

2 courgettes moyennes, coupées
   en dés

1 cuil. à café d'origan

1 cuil. à soupe de concentré
   de tomates

sel et poivre

ACCOMPAGNEMENT

sauce au pistou allégée

pain frais ou suédois

### CONSEIL

Si vous n'avez pas le temps
de confectionner le pistou,
achetez-le en bocal en
choisissant la meilleure qualité.

1 Mettre l'oignon, l'ail, le céleri,
la carotte et les tomates dans
une casserole, mouiller avec le vin
et le bouillon, et incorporer l'origan.

2 Porter le mélange à ébullition,
couvrir et cuire à feu doux
15 minutes. Incorporer les légumes
à gousse et les dés de courgettes,
retirer le couvercle et cuire encore
15 minutes.

3 Ajouter le concentré de tomates,
saler et poivrer selon son goût
et curie le mélange encore
2 à 3 minutes en remuant de temps
en temps, sans faire bouillir, jusqu'à
ce que le tout soit bien chaud.

4 Répartir la soupe dans des bols
chauds, ajouter 1 cuillerée
de pistou dans chaque bol et servir
accompagné de pain.

139

# soupe toscane à l'oignon

## 4 personnes

50 g de pancetta, coupée en dés

1 cuil. à soupe d'huile d'olive

4 gros oignons, finement émincés

3 gousses d'ail, hachées

850 ml de bouillon de poulet
ou de jambonneau, chaud

50 g de beurre

75 g de gruyère, râpé

4 tranches de ciabatta
ou autre pain italien

sel et poivre

**1** Faire revenir la pancetta 3 à 4 minutes dans une sauteuse sans matière grasse, jusqu'à ce qu'elle commence à dorer, retirer de la sauteuse et réserver.

**2** Ajouter l'huile, les oignons et l'ail dans la sauteuse, faire revenir 4 minutes à feu vif et réduire le feu. Couvrir et cuire 15 minutes, jusqu'à ce que le tout caramélise légèrement.

**3** Mouiller avec le bouillon, porter à ébullition et réduire le feu. Couvrir et laisser mijoter 10 minutes.

**4** Passer les tranches de ciabatta au gril préchauffé 2 à 3 minutes, jusqu'à ce qu'elles soient dorées des deux côtés. Beurrer, garnir de gruyère râpé et découper en dés.

**5** Ajouter la pancetta réservée dans la soupe, saler et poivrer selon son goût et répartir dans des assiettes à soupe. Garnir de croûtons et servir immédiatement.

## CONSEIL

La pancetta ressemble au lard, mais elle a été salée et séchée 6 mois environ. Vous pouvez la remplacer par du lard non fumé.

# soupe de légumes verts au pistou

## 6 personnes

1 cuil. à soupe d'huile d'olive

1 oignon, finement haché

1 gros poireau, coupé en deux
   dans la longueur et émincé

1 branche de céleri, émincée

1 carotte, coupée en quatre
   dans la longueur et émincée

1 gousse d'ail, finement hachée

1,25 l d'eau

1 pomme de terre, coupée en dés

1 panais, coupé en dés

1 petit navet, coupé en dés

150 g de haricots verts, coupés
   en petits morceaux

200 g de petits pois, frais
   ou surgelés

2 petites courgettes, coupées
   en quatre dans la longueur
   et émincées

400 g de flageolets en boîte,
   rincés et égouttés

sel et poivre

100 g de feuilles d'épinard, coupées
   en lanières

PISTOU

1 gousse d'ail, très finement hachée

15 g de feuilles de basilic

85 g de parmesan, râpé

4 cuil. à soupe d'huile d'olive vierge

1 Dans une casserole, chauffer l'huile, ajouter l'oignon et le poireau, et cuire 5 minutes à feu doux en remuant de temps en temps. Ajouter le céleri, la carotte et l'ail, couvrir et cuire encore 5 minutes.

2 Ajouter la pomme de terre, le panais, le navet et les haricots verts, mouiller avec l'eau et porter à ébullition. Réduire le feu, couvrir et laisser mijoter 5 minutes.

3 Ajouter les petits pois, les flageolets et les courgettes, saler et poivrer selon son goût et couvrir. Cuire encore 25 minutes, jusqu'à ce que les légumes soient bien tendres.

4 Pour le pistou, mettre tous les ingrédients dans un robot de cuisine et réduire en purée onctueuse, ou écraser dans un mortier à l'aide d'un pilon.

5 Ajouter les feuilles d'épinard à la soupe, cuire 5 minutes à feu doux et incorporer une cuillerée de pistou. Répartir dans des assiettes à soupe et servir immédiatement, accompagné du pistou restant.

141

# soupe de légumes aux haricots

## 4 personnes

1 petite aubergine

2 grosses tomates

1 pommes de terre, pelée

1 carotte, pelée

1 poireau

425 g de haricots cannellini en boîte

850 ml de bouillon de légumes
   ou de poulet, très chaud

2 cuil. à café de basilic séché

15 g de cèpes séchés, trempés
   10 minutes dans de l'eau froide

50 g de vermicelle

3 cuil. à soupe de pistou
   (page 77, ou prêt à l'emploi)

parmesan fraîchement râpé,
   en garniture (facultatif)

**1** Couper les aubergines en rondelles de 1 cm, et chaque rondelle en quartiers.

**2** Couper les tomates et les pommes de terre en dés, la carotte en julienne de 2,5 cm et le poireau en rondelles.

**3** Mettre les haricots et leur jus dans une casserole et ajouter l'aubergine, les tomates, les pommes de terre, la carotte et le poireau.

**4** Mouiller avec le bouillon, porter à ébullition et réduire le feu. Laisser mijoter 15 minutes.

**5** Incorporer le basilic, le vermicelle et les champignons avec leur liquide de trempage, et laisser mijoter 5 minutes jusqu'à ce que les légumes soient tendres.

**6** Retirer la casserole du feu, incorporer le pistou et servir accompagné de parmesan râpé.

## CONSEIL

Les cèpes poussent dans le Sud de l'Italie. Lorsqu'ils sont séchés et réhydratés, ils ont une saveur très intense. Ainsi, bien qu'ils soient plutôt chers, les petites quantités utilisées en font un ingrédient économique.

# soupe de lentilles brunes aux pâtes

### 4 personnes

4 tranches de lard, coupées en dés

50 g de farfalline ou de spaghettis, cassés en petits morceaux

2 branches de céleri, hachées

1,2 l de bouillon de jambonneau ou de légumes, très chaud

2 cuil. à soupe de menthe fraîche hachée

2 gousses d'ail, hachées

1 oignon, haché

420 g de lentilles brunes en boîte, égouttées

1 Dans une poêle, mettre le lard, l'ail, l'oignon et le céleri, cuire 4 à 5 minutes sans cesser de remuer, jusqu'à ce que les oignons soient tendres et le lard doré.

2 Ajouter les pâtes et cuire 1 minute sans cesser de remuer de façon à les enrober de matière grasse.

### CONSEIL

Si vous utilisez des lentilles sèches, ajoutez le bouillon avant les pâtes et laissez cuire 1 heure à 1 h 15 pour que les lentilles soient tendres. Ajoutez les pâtes et faites cuire 12 à 15 minutes.

### VARIANTE

Vous pouvez utiliser tout type de pâte (fusillis, conchiglie, rigatonis, etc.).

3 Ajouter les lentilles, mouiller avec le bouillon et porter à ébullition. Réduire le feu et cuire 12 à 15 minutes, jusqu'à ce que les pâtes soient cuites.

4 Retirer la sauteuse du feu et incorporer la menthe.

5 Répartir dans des assiettes à soupe chaudes et servir immédiatement.

# soupe de lentilles aux pâtes et aux légumes

## 4 personnes

1 cuil. à soupe d'huile d'olive

1 oignon moyen, haché

4 gousses d'ail, finement hachées

350 g de carottes, coupées
en rondelles

225 g de lentilles rouges

1 branche de céleri, émincée

600 ml de bouillon de légumes

150 ml de fromage blanc allégé
ou de yaourt nature

700 ml d'eau, bouillante

150 g de pâtes

sel et poivre

2 cuil. à soupe de persil frais haché,
en garniture

1 Chauffer l'huile dans une casserole, ajouter l'oignon, l'ail, les carottes et le céleri, et faire revenir 5 minutes à feu doux sans cesser de remuer, jusqu'à ce que les légumes deviennent tendres.

2 Ajouter les lentilles, mouiller avec le bouillon et l'eau bouillante, et saler et poivrer selon son goût. Mélanger, porter de nouveau à ébullition et cuire 15 minutes à feu doux. Laisser refroidir 10 minutes.

### CONSEIL

Évitez de faire bouillir
la soupe après avoir ajouté
le yaourt. Il se dissocierait,
et donnerait ainsi un aspect peu
appétissant à la soupe.

3 Porter une autre casserole d'eau à ébullition, cuire les pâtes al dente selon les instructions figurant sur le paquet et égoutter. Réserver.

4 Mixer la soupe jusqu'à obtention d'un mélange onctueux, remettre dans une casserole et ajouter les pâtes. Laisser mijoter 2 à 3 minutes, retirer du feu et incorporer le fromage blanc ou le yaourt. Saler et poivrer selon son goût.

5 Répartir dans des bols chauds et servir parsemé de persil haché.

# soupe de pâtes aux haricots

## 4 personnes

250 g de haricots blancs, mis
à tremper 3 heures et égouttés

4 cuil. à soupe d'huile d'olive

2 gros oignons, émincés

3 gousses d'ail, hachées

425 g de tomates concassées
en boîte

1 cuil. à café de concentré
de tomates

850 ml d'eau

90 g de fusillis ou de conchigliette

115 g de tomates séchées,
égouttées et coupées en lanières

1 cuil. à soupe de coriandre fraîche
hachée ou de persil plat frais
haché

1 cuil. à café d'origan séché

sel et poivre

2 cuil. à soupe de copeaux
de parmesan,
en accompagnement

1 Mettre les haricots dans une
casserole, couvrir d'eau froide
et porter à ébullition. Cuire 15 minutes
à gros bouillons, égoutter et réserver.

2 Dans un faitout, chauffer l'huile
à feu moyen, ajouter les oignons
et faire revenir 2 à 3 minutes. Incorporer
l'ail, cuire 1 minute et incorporer
les tomates, l'origan et le concentré
de tomates.

3 Mouiller avec l'eau, ajouter
les haricots et porter à ébullition.
Couvrir et laisser mijoter 45 minutes,
jusqu'à ce que les haricots soient
presque tendres.

### CONSEIL

Vous pouvez aussi plonger
les haricots dans de l'eau froide.
Portez à ébullition, retirez du feu
et laissez les haricots cuire dans
l'eau. Égouttez et rincez à l'eau
froide.

4 Ajouter les pâtes, saler et poivrer
selon son goût et incorporer
les tomates séchées. Porter de nouveau
à ébullition, couvrir partiellement
et laisser mijoter 10 minutes, jusqu'à
ce que les pâtes soient al dente.

5 Incorporer la coriandre, transférer
dans des bols chauds et servir,
garni de parmesan.

# soupe de pois cassés aux pâtes

## 4 personnes

3 tranches de lard fumé,
    sans la couenne et coupées
    en dés
1 gros oignon, haché
15 g de beurre
2,3 l de bouillon de poulet
450 g de pois cassés, mis à tremper
    2 heures dans l'eau froide
    et égouttés
225 g de pâtes aux œufs
150 ml de crème fraîche épaisse
sel et poivre
persil frais haché, en garniture
croûtons au parmesan,
    en accompagnement

1 Dans un faitout, chauffer le beurre, ajouter le lard et l'oignon, et faire revenir 6 minutes à feu doux.

2 Ajouter les pois cassés, mouiller avec le bouillon et porter à ébullition. Saler et poivrer selon son goût, couvrir et laisser mijoter 1 h 30.

3 Ajouter les pâtes et laisser mijoter encore 15 minutes.

4 Ajouter la crème fraîche, bien mélanger et répartir dans des bols chauds. Garnir de persil, ajouter les croûtons au parmesan et servir immédiatement.

### CONSEIL

Pour les croûtons au parmesan,
coupez une baguette en tranches,
enduisez-les d'huile d'olive
et saupoudrez de parmesan.
Faites griller 30 secondes.

# velouté à la pomme

## 4 personnes

4 cuil. à soupe de beurre

900 g de pommes de terre
   à chair ferme, coupées en dés

1 oignon rouge, coupé en quartiers

1 cuil. à soupe de jus de citron

1 litre de bouillon de poulet

450 g de pommes, pelées
   et coupées en dés

1 pincée de poivre de la Jamaïque

50 g de roquette

sel et poivre

pain chaud, en accompagnement

GARNITURE

tranches de pomme rouge

oignons verts, hachés

### CONSEIL
Remplacez la roquette
par des pousses d'épinards pour
un goût identique.

**1** Dans un faitout, faire fondre le beurre, ajouter les dés de pommes de terre et l'oignon, et faire revenir 5 minutes sans cesser de remuer.

**2** Mouiller avec le jus de citron et le bouillon, et ajouter les dés de pomme et le poivre de la Jamaïque.

**3** Porter à ébullition, réduire le feu et couvrir. Laisser mijoter 15 minutes.

**4** Ajouter la roquette et cuire encore 10 minutes, jusqu'à ce que les pommes de terre soient bien cuites.

**5** Transférer la moitié de la soupe dans un robot de cuisine, mixer 1 minute et reverser la purée dans le faitout avec la soupe restante.

**6** Saler et poivrer selon son goût, répartir dans des assiettes à soupe chaudes et garnir de pomme et d'oignon vert. Servir immédiatement accompagné de pain chaud.

# soupe de patates douces à l'orange

## 4 personnes

2 cuil. à soupe d'huile

900 g de patates douces, coupées
   en dés

1 carotte, coupée en dés

2 oignons, émincés

2 gousses d'ail, hachées

600 ml de bouillon de légumes

300 ml de jus d'orange sans sucre
   ajouté

2 cuil. à soupe de coriandre fraîche
   hachée

225 ml de yaourt nature

sel et poivre

brins de coriandre, en garniture

zeste d'orange, en décoration

1 Dans une casserole, chauffer l'huile, ajouter les dés de patate douce et de carotte, les oignons et l'ail, et faire revenir 5 minutes sans cesser de remuer.

2 Mouiller avec le bouillon et le jus d'orange, bien remuer et porter à ébullition.

3 Réduire le feu, couvrir et laisser mijoter 20 minutes, jusqu'à ce que les légumes soient tendres.

4 Verser la préparation dans un robot de cuisine, réduire en purée et reverser la purée dans la casserole préalablement rincée.

**CONSEIL**

Cette soupe peut également se consommer froide. Dans ce cas, ajoutez le yaourt au moment de servir dans des bols très froids.

5 Ajouter le yaourt et la coriandre, saler et poivrer selon son goût et garnir de brins de coriandre et de zeste d'orange.

# soupe au maïs et aux pommes de terre

## 4 personnes

25 g de beurre

2 échalotes, finement hachées

225 g de pommes de terre, coupées
  en dés

4 cuil. à soupe de farine

2 cuil. à soupe de vin blanc sec

300 ml de lait

325 g de maïs en boîte, égoutté

85 g de gruyère ou d'emmental,
  râpés

8 à 10 feuilles de sauge fraîches
  hachées

425 ml de crème fraîche épaisse

brins de sauge, en garniture

CROÛTONS

2 ou 3 tranches de pain de la veille

2 cuil. à soupe d'huile d'olive

1 Pour les croûtons, retirer la croûte
des tranches de pain et découper
la mie en dés de 1 cm de côté. Dans
une poêle à fond épais, chauffer
l'huile, ajouter les dés de pain et faire
revenir sans cesser de remuer, jusqu'à
ce qu'ils soient dorés. Égoutter sur
du papier absorbant et réserver.

2 Dans casserole à fond épais,
faire fondre le beurre, ajouter
les échalotes et cuire à feu doux

5 minutes en remuant de temps en
temps, jusqu'à ce que les échalotes
commencent à fondre. Ajouter
les pommes de terre et cuire encore
2 minutes sans cesser de remuer.

3 Saupoudrer de farine, cuire
encore 1 minute sans cesser de
remuer et retirer la casserole du feu.
Mouiller avec le vin blanc, incorporer
progressivement le lait et remettre sur
le feu. Porter à ébullition sans cesser de
remuer, réduire le feu et laisser mijoter.

4 Incorporer le maïs, le fromage,
la sauge et la crème fraîche,
chauffer jusqu'à ce que fromage soit
juste fondu et répartir dans des
assiettes à soupe chaudes. Parsemer
de croûtons, garnir de brins de sauge
fraîche et servir immédiatement.

### CONSEIL

Assurez-vous que l'huile est bien
chaude avant d'ajouter les dés
de pain pour faire les croûtons,
sinon ils absorberont l'huile
et ne seront pas croustillants.

# soupe de brocoli au fromage

## 4 personnes

400 g de brocoli

10 g de beurre

1 cuil. à café d'huile

1 oignon, finement haché

1 poireau, finement émincé

1 petite carotte, finement hachée

3 cuil. à soupe de riz blanc

850 ml d'eau

1 feuille de laurier

noix muscade, fraîchement râpée

4 cuil. à soupe de crème fraîche
    épaisse

100 g de fromage frais

sel et poivre

croûtons, en garniture

**1** Séparer le brocoli en fleurettes, couper les troncs et hacher en petits morceaux.

**2** Dans une casserole, chauffer le beurre et l'huile à feu moyen, ajouter l'oignon, le poireau et la carotte, et faire revenir 3 à 4 minutes en remuant fréquemment, jusqu'à ce que l'oignon soit tendre.

**3** Ajouter le brocoli haché, le riz, l'eau, la feuille de laurier et 1 pincée de sel, porter à ébullition et réduire le feu. Couvrir, laisser mijoter 15 minutes à feu doux et ajouter les fleurettes de brocoli. Couvrir, cuire 15 à 20 minutes, jusqu'à ce que le riz et les légumes soient tendres et retirer la feuille de laurier.

**4** Ajouter la noix muscade et saler et poivrer selon son goût. Ajouter la crème fraîche et le fromage frais, laisser mijoter à feu doux en remuant de temps en temps, jusqu'à ce que la soupe soit chaude, et rectifier l'assaisonnement. Répartir dans des bols chaud, garnir de croûtons et servir.

# soupe de courgette épicée au citron vert

## 4 personnes

2 cuil. à soupe d'huile

4 gousses d'ail, émincées

1 à 2 cuil. à soupe de poudre
de piment rouge douce

4 cuil. à soupe de riz long grain

¼ à ½ cuil. à café de cumin
en poudre

1,5 l de bouillon de poulet, de bœuf
ou de légumes

2 courgettes, coupées en morceaux

sel et poivre

brins d'origan frais et quartiers de
citron vert, en accompagnement

### CONSEIL

Choisissez des courgettes
moyennes, fermes au toucher
et à peau brillante.

1 Dans une casserole à fond épais,
chauffer l'huile, ajouter l'ail
et cuire 2 minutes, jusqu'à ce qu'il soit
doré. Ajouter la poudre de piment
et le cumin, et cuire encore 1 minute
à feu doux.

2 Mouiller avec le bouillon, ajouter
les courgettes et le riz en remuant
et cuire 10 minutes à feu moyen à vif,
jusqu'à ce que les courgettes soient
tendres et le riz cuit. Saler et poivrer
selon son goût.

3 Répartir dans des assiettes
à soupe, garnir de brins d'origan
frais et servir accompagné de quartiers
de citron vert.

### VARIANTE

Vous pouvez remplacer le riz par
des pâtes orzo ou des pâtes très
fines comme les fideo. Utilisez
une courge d'été à la place des
courgettes, et des haricots pinto
cuits à la place du riz. Pour plus
de saveur, vous pouvez aussi
ajouter 1 ou 2 tomates
concassées.

# soupe calabraise aux champignons

## 4 personnes

2 cuil. à soupe d'huile d'olive

1 oignon, haché

450 g de mélange de champignons
  (cèpes, pleurotes, pholiotes…)

300 ml de lait

850 ml de bouillon de légumes,
  chaud

8 tranches de pain de campagne
  ou de baguette

2 gousses d'ail, hachées

50 g de beurre, fondu

75 g de gruyère, finement râpé

sel et poivre

### CONSEIL

Les champignons absorbent
l'eau, ce qui peut affadir leur
goût et affecter leur cuisson.
Essuyez-les plutôt que
de les rincer dans l'eau.

**1** Dans une sauteuse, chauffer
l'huile à feu doux, ajouter l'oignon
et faire revenir 3 à 4 minutes, jusqu'à
ce qu'il soit tendre et doré.

**2** Essuyer chaque champignon avec
un torchon humide et couper les
plus gros en morceaux.

**3** Ajouter les champignons dans la
sauteuse en remuant brièvement
pour les enrober d'huile.

**4** Mouiller avec le lait, porter à
ébullition à feu moyen et couvrir.
Laisser mijoter 5 minutes et mouiller
progressivement avec le bouillon
de légumes chaud.

**5** Passer le pain au gril préchauffé
2 à 3 minutes de chaque côté.

### VARIANTE

Les supermarchés offrent une
grande diversité de champignons.
Pour plus d'originalité, combinez
ici plusieurs variétés.

**6** Mélanger l'ail et le beurre,
et tartiner le pain grillé.

**7** Disposer le pain grillé au fond
d'une soupière ou répartir dans
des assiettes à soupe chaudes, verser
la soupe brûlante et garnir de gruyère
râpé. Saler et poivrer selon son goût
et servir immédiatement.

# soupe au cheddar et aux légumes

## 4 personnes

2 cuil. à soupe de beurre

1 gros oignon, finement haché

1 gros poireau, coupé en deux dans la longueur et finement émincé

1 ou 2 gousses d'ail, hachées

75 g de farine

1 litre de bouillon de légumes

3 carottes, coupées en dés

2 branches de céleri, coupées en dés

1 navet, coupé en dés

1 grosse pomme de terre, coupée en dés

3 ou 4 brins de thym frais ou ⅛ de cuil. à café de thym séché

1 feuille de laurier

350 ml de crème fraîche allégée

300 g de cheddar affiné, râpé

sel et poivre

persil frais haché, en garniture

**1** Dans une casserole à fond épais, faire fondre le beurre à feu doux, ajouter l'ail, l'oignon et le poireau, et couvrir. Cuire 5 minutes en remuant fréquemment, jusqu'à ce que les légumes commencent à fondre.

**2** Incorporer la farine, cuire encore 2 minutes et mouiller avec un peu de bouillon. Mélanger en raclant le fond de la casserole de façon à bien diluer la farine, porter à ébullition en remuant fréquemment et incorporer progressivement le bouillon restant.

**3** Ajouter les carottes, le céleri, le navet, la pomme de terre, le thym et la feuille de laurier, réduire le feu et couvrir. Cuire 35 minutes à feu doux, jusqu'à ce que les légumes soient bien tendres, et retirer la feuille de laurier et les brins de thym.

**4** Incorporer la crème fraîche et cuire 5 minutes à feu très doux.

**5** Ajouter le fromage par petites poignées, en remuant 1 minute après chaque ajout de sorte qu'il fonde complètement, sans laisser bouillir. Rectifier l'assaisonnement, répartir la soupe dans des assiettes à soupe chaudes et garnir de persil frais haché. Servir immédiatement.

# soupe de légumes mexicaine aux chips

## 4 à 6 personnes

2 cuil. à soupe d'huile d'arachide
   ou d'huile d'olive vierge extra

1 oignon, finement haché

4 gousses d'ail, finement hachées

¼ à ½ cuil. à café de cumin
   en poudre

2 à 3 cuil. à café de poudre
   de piment

1 carotte, émincée

1 courgette, coupée en dés

1 pomme de terre nouvelle,
   coupée en dés

350 g de tomates fraîches
   ou concassées en boîte

1/4 de petit chou, coupé en lanières

10 haricots verts ou haricots
   d'Espagne, équeutés et coupés
   en petits morceaux

1 litre de bouillon de poulet
   ou de légumes, ou 1 litre d'eau

maïs frais cuit ou en boîte

sel et poivre

GARNITURE

4 à 6 cuil. à soupe de coriandre
   fraîche ciselée

salsa ou piment frais haché

chips de tortilla

1 Dans une poêle à fond épais, chauffer l'huile, ajouter l'oignon et l'ail, et cuire quelques minutes. Saupoudrer de cumin et de poudre de piment, ajouter la carotte, la pomme de terre, les tomates, la courgette et le chou, et cuire 2 minutes en remuant de temps en temps.

2 Mouiller avec le bouillon, couvrir et cuire 20 minutes à feu moyen, jusqu'à ce que les légumes soient bien tendres.

3 Ajouter un peu d'eau si nécessaire, incorporer le maïs et les haricots, et cuire 5 à 10 minutes, jusqu'à ce que les haricots soient tendres. Saler et poivrer légèrement car les chips de tortillas sont déjà salées.

4 Répartir dans des assiettes à soupe, garnir de coriandre fraîche et ajouter un soupçon de salsa. Servir accompagné de chips de tortillas.

# riz à la tomate et aux petits pois

## 6 à 8 personnes

400 g de riz blanc long grain

1 gros oignon, haché

2 ou 3 gousses d'ail, hachées

350 g de tomates olivettes
    italiennes en boîte

3 à 4 cuil. à soupe d'huile d'olive

1 litre de bouillon de poulet

1 cuil. à soupe de concentré
    de tomates

1 piment fort

175 g de petits pois surgelés,
    décongelés

5 cuil. à soupe de coriandre
    fraîche hachée
    (dont une en accompagnement)

sel et poivre

ACCOMPAGNEMENT

1 avocat, coupé en tranches
    et arrosé de jus de citron vert

tranches de citron vert

4 oignons verts, hachés

1 Couvrir le riz d'eau chaude
et laisser tremper 15 minutes.
Égoutter et rincer à l'eau froide.

2 Mixer l'oignon et l'ail dans un
robot de cuisine jusqu'à obtention

d'une purée homogène, transférer
dans une terrine et réserver. Mixer
les tomates jusqu'à obtention d'un
mélange homogène et filtrer dans
une jatte, en écrasant les morceaux
restants à l'aide d'une cuillère en bois.

3 Dans une casserole, chauffer
l'huile à feu moyen, ajouter le riz
et faire revenir 4 minutes, en remuant
souvent, jusqu'à ce qu'il soit tendre et
translucide. Ajouter la purée d'oignons,
faire revenir encore 2 minutes
en remuant souvent et mouiller avec
le bouillon. Ajouter le concentré
de tomates et les tomates mixées,
et porter à ébullition.

4 À l'aide d'une épingle ou d'une
grande aiguille, percer le piment
en 2 ou 3 endroits, ajouter au riz
et saler et poivrer selon son goût.
Baisser le feu au minimum, couvrir
et laisser mijoter environ 25 minutes,
jusqu'à ce que le riz soit tendre
et le liquide absorbé. Jeter le piment,
incorporer les petits pois et la coriandre,
et cuire 5 minutes, jusqu'à ce que
le tout soit bien chaud.

5 Transférer le riz dans un plat
de service, garnir de tranches
d'avocat et de citron vert et parsemer
d'oignon vert et de coriandre hachés.
Servir immédiatement.

# riz à la tomate

## 4 personnes

2 cuil. à soupe d'huile

1 oignon, grossièrement haché

1 poivron rouge, épépiné
    et haché

2 gousses d'ail, finement
    hachées

½ cuil. à café de thym séché

350 g de riz long grain

1 litre de bouillon de poulet
    ou de légumes

225 g de tomates concassées
    en boîte

1 feuille de laurier

2 cuil. à soupe de basilic frais haché

175 g de cheddar, râpé

2 cuil. à soupe de ciboulette
    ciselée

4 saucisses de porc aux herbes,
    cuites et coupées en rondelles
    de 1 cm

2 à 3 cuil. à soupe de parmesan
    fraîchement râpé

**1** Préchauffer le four à 180 °C (th. 6). Dans une cocotte, chauffer l'huile à feu moyen, ajouter l'oignon et le poivron, et faire revenir 5 minutes en remuant fréquemment, jusqu'à ce qu'ils commencent à fondre. Incorporer l'ail et le thym, et cuire encore 1 minute.

**2** Ajouter le riz, cuire encore 2 minutes sans cesser de remuer, jusqu'à ce que les grains soient bien enrobés, et mouiller avec le bouillon. Incorporer les tomates et la feuille de laurier, porter à ébullition et cuire 5 minutes à feu vif, jusqu'à absorption presque complète du bouillon.

**3** Incorporer le basilic, le cheddar, la ciboulette et les rondelles de saucisse, couvrir et cuire au four préchauffé, 25 minutes.

**4** Saupoudrer de parmesan, cuire encore 5 minutes, jusqu'à ce que le riz soit gratiné, et servir très chaud, directement dans la cocotte.

### CONSEIL

Pour une version végétarienne, remplacez les saucisses de porc par 400 g de haricots rouges, de haricots blancs ou de maïs, rincés et égouttés, ou utilisez un mélange de courgettes et de champignons sautés.

# risotto de tomates séchées au soleil

## 4 personnes

1 cuil. à soupe d'huile d'olive

25 g de beurre

1 gros oignon, finement haché

350 g de riz arborio, lavé

15 filaments de safran

850 ml de bouillon de légumes
ou de poulet très chaud

8 tomates séchées au soleil,
coupées en lanières

150 ml de vin blanc

100 g de petits pois frais, blanchis

50 g de jambon de Parme
(prosciutto), coupé en lanières

75 g de parmesan, râpé

1 Dans une sauteuse, chauffer l'huile et le beurre, ajouter l'oignon et cuire 4 à 5 minutes, jusqu'à ce qu'il ait légèrement fondu.

2 Ajouter le riz et le safran en remuant de façon à bien enrober les grains d'huile et cuire encore 1 minute.

3 Mélanger le vin et le bouillon, et mouiller progressivement le riz avec le mélange obtenu sans cesser de remuer, en attendant qu'il ait absorbé le liquide avant chaque ajout.

4 À mi-cuisson, ajouter délicatement les tomates.

5 Lorsque le vin et le bouillon ont été absorbés, le riz doit être cuit. Si les grains sont encore croquants, ajouter un peu d'eau et poursuivre la cuisson. Il faut compter 15 minutes de cuisson.

6 Incorporer les petits pois, le jambon et le fromage, chauffer 2 à 3 minutes sans cesser de remuer et servir, garni de parmesan râpé.

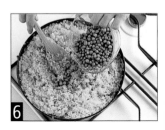

### CONSEIL

Le riz italien est rond et court, et possède une saveur au petit goût de noisette, essentiel à la confection d'un bon risotto. Choisissez du riz arborio.

# risotto au fromage

## 4 personnes

4 à 6 cuil. à soupe de beurre

1 oignon, finement haché

350 g de riz pour risotto

120 ml de vermouth blanc sec
   ou de vin blanc

1 litre de bouillon de poulet
   ou de légumes, frémissant

100 g de parmesan fraîchement
   râpé, un peu plus en garniture

sel et poivre

**1** Dans une sauteuse, faire fondre 2 cuillerées à soupe de beurre à feu moyen, ajouter l'oignon et faire revenir 2 minutes, jusqu'à ce qu'il fonde. Ajouter le riz et cuire encore 2 minutes en remuant souvent, jusqu'à ce que les grains soient bien enrobés de matière grasse et translucides.

**2** Mouiller avec le vermouth ou le vin blanc en chauffant de sorte qu'il soit bouillant et s'évapore rapidement. Verser environ 250 ml de bouillon frémissant et laisser mijoter en remuant de temps en temps, jusqu'à complète absorption.

**3** Mouiller progressivement le riz avec le bouillon restant, en attendant qu'il ait absorbé le liquide avant chaque ajout. Il faut compter 20 minutes de cuisson pour que la préparation soit crémeuse et les grains de riz tendres.

**4** Retirer la sauteuse du feu, incorporer le beurre restant et le parmesan râpé, et saler et poivrer selon son goût. Couvrir, laisser reposer 1 à 2 minutes et saupoudrer de parmesan râpé. Servir immédiatement.

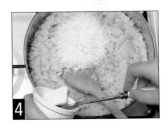

### CONSEIL

Vous pouvez aussi faire dorer l'oignon dans 2 cuillerées à soupe d'huile d'olive et ajouter 2 autres cuillerées en même temps que le parmesan râpé à la fin de la recette.

# risotto vert à la menthe et aux herbes

## 6 personnes

- 2 cuil. à soupe de beurre
- 450 g de petits pois frais écossés ou surgelés et décongelés
- 1 kg de pousses d'épinards fraîches, lavées et égouttées
- 1 botte de menthe fraîche, effeuillée
- 2 cuil. à soupe de basilic frais haché
- 2 cuil. à soupe d'origan frais haché
- 1 pincée de noix muscade fraîchement râpée
- 4 cuil. à soupe de mascarpone ou de crème fraîche épaisse
- 2 cuil. à soupe d'huile
- 1 oignon, finement haché
- 4 branches de céleri avec les feuilles, finement hachées
- 2 gousses d'ail, finement hachées
- ½ cuil. à café de thym séché
- 300 g de riz arborio ou carnaroli
- 50 ml de vermouth blanc sec
- 1 litre de bouillon de poulet dégraissé ou de bouillon de légumes, frémissant
- 85 g de parmesan, fraîchement râpé

1 Dans une sauteuse, chauffer la moitié du beurre à feu moyen, ajouter les petits pois, les épinards, la menthe, le basilic, l'origan et la noix muscade, et faire revenir 3 minutes sans cesser de remuer, jusqu'à ce que les épinards et la menthe aient flétri.

2 Transférer la préparation obtenue dans un robot de cuisine, mixer 15 secondes et ajouter le mascarpone. Mixer de nouveau 1 minute et réserver.

3 Dans une casserole à fond épais, chauffer l'huile et le beurre restant à feu moyen, ajouter l'oignon, le céleri, l'ail et le thym, et faire revenir 2 minutes, jusqu'à ce qu'ils soient tendres. Ajouter

le riz et cuire 2 minutes en remuant souvent, jusqu'à ce qu'il soit translucide et enrobé de matière grasse.

4 Mouiller avec le vermouth en chauffant de sorte qu'il soit bouillant et s'évapore rapidement. Mouiller progressivement le riz avec le bouillon, en attendant qu'il ait absorbé le liquide avant chaque ajout. Lorsque le bouillon a été absorbé, le riz doit être cuit. Il faut compter 20 minutes de cuisson pour que la préparation soit crémeuse et les grains de riz tendres.

5 Ajouter la crème d'épinards et le parmesan, et servir immédiatement.

# risotto aux champignons sauvages

## 6 personnes

55 g de morilles ou de girolles
   déshydratées

500 g de champignons sauvages
   frais (cèpes, girolles, psalliotes
   des jachères et chanterelles),
   les plus gros coupés en deux

4 cuil. à soupe d'huile d'olive

3 ou 4 gousses d'ail, finement
   hachées

4 cuil. à soupe de beurre

1 oignon, finement haché

350 g de riz pour risotto,
   rincé

50 ml de vermouth blanc sec

1,2 l de bouillon de poulet,
   frémissant

sel et poivre

115 g de parmesan, fraîchement
   râpé

4 cuil. à soupe de persil italien
   frais haché

**1** Mettre les morilles dans une terrine, couvrir d'eau bouillante et laisser tremper 30 minutes. Sécher sur du papier absorbant, filtrer l'eau de trempage dans une passoire chemisée de papier absorbant et réserver.

**2** Nettoyer les champignons frais en les brossant délicatement.

**3** Dans une poêle, chauffer 3 cuillerées à soupe d'huile à feu doux, ajouter les champignons frais et faire revenir 1 à 2 minutes. Ajouter l'ail et les morilles, faire revenir 2 minutes en remuant fréquemment et transférer dans une assiette. Réserver.

**4** Dans une casserole à fond épais, chauffer l'huile restante et la moitié du beurre, ajouter l'oignon et cuire 2 minutes en remuant de temps en temps, jusqu'à ce qu'il soit fondant. Ajouter le riz et faire revenir 2 minutes, en remuant, jusqu'à ce qu'il soit translucide et bien enrobé de matière grasse. Mouiller avec le vermouth et chauffer jusqu'à ce qu'il soit presque entièrement absorbé.

**5** Mouiller progressivement avec le bouillon en attendant que le riz ait absorbé le liquide avant chaque ajout. Lorsque tout le bouillon a été absorbé, le riz doit être cuit. Il faut compter 20 à 25 minutes de cuisson pour que la préparation soit crémeuse et les grains de riz tendres.

**6** Verser la moitié de l'eau de trempage des morilles dans le risotto, incorporer les champignons et saler et poivrer en ajoutant un peu d'eau de trempage si nécessaire. Retirer du feu, incorporer le beurre restant, le parmesan et le persil, et répartir dans des assiettes chaudes. Garnir de brins de persil et servir.

# risotto rouge aux griottes

## 4 à 6 personnes

175 g de griottes ou de groseilles
séchées

225 ml de vin rouge fruité,
par exemple du Valpolicella

1 gros oignon rouge, finement haché

2 branches de céleri, finement
hachées

½ cuil. à café de thym séché

350 g de riz arborio ou carnaroli

1,2 l de bouillon de poulet
ou de légumes, frémissants

4 betteraves cuites, coupées en dés

2 cuil. à soupe d'aneth fraîche
hachée

3 cuil. à soupe d'huile d'olive

1 gousse d'ail, finement hachée

2 cuil. à soupe de ciboulette
finement ciselée

sel et poivre

60 g de parmesan fraîchement râpé,
en accompagnement (facultatif)

**1** Dans une casserole, mettre les griottes séchées et le vin, porter à ébullition et laisser mijoter 2 à 3 minutes, jusqu'à ce que la préparation réduise légèrement. Retirer du feu et réserver.

**2** Dans une casserole à fond épais, chauffer l'huile à feu moyen, ajouter l'oignon, le céleri et le thym, et faire revenir 2 minutes, jusqu'à ce qu'ils soient tendres. Ajouter l'ail et le riz, et faire revenir 2 minutes en remuant fréquemment de façon à bien enrober le riz d'huile.

**3** Mouiller progressivement le riz avec le bouillon en attendant qu'il ait absorbé le liquide avant chaque ajout.

**4** Lorsque tout le bouillon a été absorbé, le riz doit être cuit. Si les grains sont encore croquants, ajouter un peu d'eau et poursuivre la cuisson. Il faut compter 20 à 25 minutes pour que la préparation soit crémeuse et les grains de riz tendres mais toujours fermes sous la dent.

**5** À mi-cuisson, sortir les cerises du vin à l'aide d'une écumoire, ajouter au risotto avec les betteraves et la moitié du vin, et poursuivre l'ajout du bouillon.

**6** Incorporer la ciboulette et l'aneth, rectifier l'assaisonnement et saupoudrer de parmesan. Servir immédiatement.

# risotto à la tomate et à la mozzarella

## 4 à 6 personnes

2 cuil. à soupe d'huile d'olive

25 g de beurre

1 gros oignon, finement haché

2 gousses d'ail, finement hachées

350 g de riz arborio

120 ml de vermouth blanc sec
(facultatif)

1,5 l de bouillon de poulet
ou de légumes, frémissants

6 tomates olivettes italiennes
ou en grappe, épépinées
et concassées

1 poignée de feuilles de basilic frais

125 g de roquette sauvage

115 g de parmesan, fraîchement
râpé

225 g de mozzarella de bufflonne
fraîche, grossièrement râpée
ou coupée en dés

sel et poivre

1 Dans une poêle, chauffer l'huile et la moitié du beurre, ajouter l'oignon et cuire 2 minutes, jusqu'à ce qu'il ait fondu. Ajouter l'ail et le riz, et faire revenir 2 minutes en remuant souvent, jusqu'à ce qu'il soit translucide et bien enrobé de matière grasse.

2 Mouiller avec le vermouth en chauffant de sorte qu'il soit bouillant et s'évapore rapidement. Mouiller progressivement le riz avec le bouillon en attendant qu'il ait absorbé le liquide avant chaque ajout.

3 Avant la fin de la cuisson, ajouter les tomates et la roquette, ciseler le basilic et incorporer au risotto. Lorsque le bouillon est absorbé, le riz doit être cuit, la préparation crémeuse et les grains de riz tendres.

4 Retirer du feu, incorporer le beurre restant, le parmesan et la mozzarella, et saler et poivrer selon son goût. Couvrir, laisser reposer 1 minute et servir immédiatement.

# risotto au potiron rôti

### 6 personnes

4 cuil. à soupe d'huile d'olive

4 cuil. à soupe de beurre, coupé
en dés

450 g de chair de potiron, coupée
en dés de 1 cm

1 brin de sauge fraîche

2 gousses d'ail, finement hachées

sel et poivre

2 cuil. à soupe de jus de citron

2 grosses échalotes, finement
hachées

350 g de riz pour risotto

4 cuil. à soupe de vermouth blanc
sec

1 litre de bouillon de poulet,
frémissant

100 g de parmesan, fraîchement
râpé

300 g de gorgonzola, coupé
en dés

feuilles de céleri, en garniture

1 Préchauffer le four à 200 °C
(th. 6-7), mettre la moitié de l'huile
et 1 cuillerée à soupe de beurre sur
une plaque de four, et enfourner
jusqu'à ce que le beurre soit fondu.

2 Disposer les dés de potiron sur
la plaque, parsemer de sauge
et de la moitié de l'ail, et saler et poivrer
selon son goût. Remuer et cuire
10 minutes au four, jusqu'à ce que
le potiron soit tendre et caramélisé.

3 Écraser la moitié du potiron
en purée, incorporer le jus de
citron et réserver avec les dés entiers.

4 Dans une sauteuse, chauffer
l'huile restante à feu moyen,
ajouter les échalotes et l'ail restant,
et cuire 1 minute en remuant de temps
en temps. Ajouter le riz et cuire encore
2 minutes en remuant, jusqu'à ce que
les grains soient bien enrobés.

5 Mouiller avec le vermouth
en chauffant de sorte qu'il soit

bouillant et s'évapore rapidement.
Verser une louche de bouillon et laisser
mijoter en remuant souvent, jusqu'à
absorption complète.

6 Mouiller progressivement avec
le bouillon en attendant que le riz
ait absorbé le liquide avant chaque
ajout. Lorsque tout le bouillon a été
absorbé, le riz doit être cuit. Il faut
compter 20 à 25 minutes de cuisson
pour que la préparation soit crémeuse
et les grains de riz tendres.

7 Incorporer la purée et les dés
de potiron, le beurre restant
et le parmesan râpé, retirer la sauteuse
du feu et incorporer le gorgonzola.
Garnir de feuilles de céleri et servir
immédiatement.

# risotto à l'orange

## 4 personnes

2 cuil. à soupe de pignons

4 cuil. à soupe de beurre

2 échalotes, finement hachées

1 poireau, finement râpé

400 g de riz arborio ou carnaroli

zeste râpé d'une orange

2 cuil. à soupe de liqueur à l'orange
ou de vermouth blanc sec

1,5 l de bouillon de poulet
ou de légumes, frémissants

jus de 2 oranges, filtré

3 cuil. à soupe de ciboulette fraîche
ciselée

sel et poivre

1 Dans une poêle, mettre les pignons et faire revenir environ 3 minutes à feu moyen en remuant et en secouant la poêle souvent, jusqu'à ce qu'ils soient bien dorés. Réserver.

2 Dans une casserole à fond épais, chauffer la moitié du beurre à feu moyen, ajouter les échalotes et le poireau, et faire revenir 2 minutes, jusqu'à ce qu'ils soient tendres. Ajouter le riz, cuire encore 2 minutes en remuant fréquemment, jusqu'à ce que le riz soit translucide et bien enrobé de beurre.

3 Mouiller le riz avec la liqueur en chauffant de sorte qu'elle soit bouillante et s'évapore rapidement. Verser une louche de bouillon et laisser mijoter en remuant souvent, jusqu'à absorption complète.

4 Mouiller progressivement avec le bouillon en attendant que le riz ait absorbé le liquide avant chaque

ajout. Lorsque tout le bouillon a été absorbé, le riz doit être cuit. Il faut compter 20 à 25 minutes de cuisson pour que la préparation soit crémeuse et les grains de riz tendres.

5 Après 15 minutes de cuisson, ajouter le zeste et le jus d'orange. Retirer du feu, incorporer le beurre restant et 2 cuillerées à soupe de ciboulette, et saler et poivrer. Parsemer de pignons et de ciboulette, et servir.

# risotto aux champignons et au fromage

## 4 personnes

2 cuil. à soupe d'huile d'olive

225 g de riz pour risotto

2 gousses d'ail, hachées

1 oignon, haché

2 branches de céleri, hachées

1 poivron rouge ou vert, épépiné
et haché

225 g de champignons, coupés
en rondelles

1 cuil. à soupe d'origan frais
ou 1 cuil. à café d'origan séché

1 litre de bouillon de légumes

55 g de tomates séchées au soleil,
égouttées et hachées
(facultatif)

sel et poivre

50 g de parmesan, râpé

GARNITURE

brins de persil plat frais

feuilles de laurier frais

3 Incorporer l'origan, mouiller
avec le bouillon et porter
à ébullition. Réduire le feu et laisser
mijoter 20 minutes, jusqu'à ce que
le riz soit tendre et crémeux.

4 Ajouter les tomates séchées
au soleil, saler et poivrer
selon son goût et incorporer
la moitié du parmesan. Garnir
avec le parmesan restant, le persil
et les feuilles de laurier, et servir
immédiatement.

1 Dans une poêle, chauffer l'huile,
ajouter le riz et cuire 5 minutes
sans cesser de remuer.

2 Ajouter l'oignon, le céleri, le poivron
et l'ail, cuire 5 minutes sans cesser
de remuer et ajouter les champignons.
Cuire encore 3 à 4 minutes.

# jambalaya de légumes

## 4 personnes

100 g de riz complet

2 cuil. à soupe d'huile d'olive

2 gousses d'ail, hachées

1 oignon rouge, coupé en huit

1 aubergine, coupée en dés

1 poivron vert, coupé en dés

50 g de mini épis de maïs,
   coupés en deux dans la longueur

75 g de petits pois surgelés

100 g de brocoli, en fleurettes

160 ml de bouillon de légumes

225 g de tomates concassées
   en boîte

1 cuil. à soupe de concentré
   de tomates

1 cuil. à café d'assaisonnement
   créole

½ cuil. à café de flocons de piment

sel et poivre

**1** Porter une casserole d'eau à ébullition, ajouter le riz et cuire 20 minutes, jusqu'à ce qu'il soit bien cuit. Égoutter et réserver.

**2** Dans une poêle à fond épais, chauffer l'huile, ajouter l'ail et l'oignon, et cuire 2 à 3 minutes sans cesser de remuer.

**3** Ajouter l'aubergine, le poivron, le maïs, les petits pois et le brocoli, et cuire 2 à 3 minutes en remuant de temps en temps.

### CONSEIL
Utilisez un mélange de riz
pour créer un effet de couleur
et de texture.

**4** Mouiller avec le bouillon, ajouter les tomates, le concentré, l'assaisonnement et le piment. Saler et poivrer selon son goût et laisser mijoter 15 à 20 minutes à feu doux, jusqu'à ce que les légumes soient tendres.

**5** Ajouter le riz et chauffer 3 à 4 minutes en remuant délicatement, jusqu'à ce que le tout soit chaud. Répartir dans des assiettes et servir immédiatement.

# riz sauté aux haricots épicés

## 4 personnes

3 cuil. à soupe d'huile de tournesol

1 oignon, finement haché

225 g de riz long grain blanc

1 cuil. à café de poudre de piment

1 poivron vert, épépiné et coupé
en dés

600 ml d'eau bouillante

100 g de maïs en boîte

225 g de haricots rouges en boîte

2 cuil. à soupe de coriandre fraîche
ciselée, un peu plus en garniture
(facultatif)

1 Dans un wok préchauffé, chauffer
l'huile de tournesol.

2 Ajouter l'oignon et faire revenir
2 minutes, jusqu'à ce qu'il soit
tendre.

3 Ajouter le riz, les dés de poivron
et la poudre de piment, et faire
revenir 1 minute.

4 Mouiller avec 600 ml d'eau
bouillante, porter à ébullition
et réduire le feu. Cuire à feu doux
15 minutes.

5 Ajouter le maïs, les haricots
et la coriandre, et chauffer
en remuant de temps en temps.

6 Transférer dans un plat et servir
immédiatement, parsemé
de coriandre fraîche ciselée.

### CONSEIL

Pour obtenir du riz parfaitement
frit, faites tremper le riz cru dans
une terrine d'eau peu avant la
cuisson afin d'éliminer l'amidon.
Vous pouvez aussi remplacer
le riz long grain par du riz à grain
rond oriental.

# paella aux noix de cajou

## 4 personnes

2 cuil. à soupe d'huile d'olive

1 cuil. à soupe de beurre

1 oignon rouge, haché

150 g de riz arborio

1 cuil. à café de curcuma en poudre

1 cuil. à café de cumin en poudre

½ cuil. à café de poudre de piment

3 gousses d'ail, hachées

1 piment vert, émincé

1 poivron vert, coupé en dés

1 poivron rouge, coupé en dés

75 g de mini épis de maïs, coupés
en deux dans la longueur

2 cuil. à soupe d'olives noires,
dénoyautées

1 grosse tomate, épépinée
et coupée en dés

450 ml de bouillon de légumes

75 g de noix de cajou non salées

50 g de petits pois surgelés

sel et poivre

2 cuil. à soupe de persil haché

1 pincée de poivre de Cayenne

fines herbes, en garniture

**1** Dans une poêle, chauffer l'huile et faire fondre le beurre.

**2** Ajouter l'oignon et faire revenir 2 à 3 minutes sans cesser de remuer, jusqu'à ce qu'il soit tendre.

**3** Incorporer le riz, le curcuma, le cumin, la poudre de piment, l'ail, le piment, les poivrons, le maïs, les olives et la tomate, et cuire à feu modéré 1 à 2 minutes en remuant de temps en temps.

**4** Mouiller avec le bouillon, porter à ébullition et réduire le feu. Laisser mijoter 20 minutes, en remuant de temps en temps.

**5** Ajouter les noix de cajou et les petits pois, cuire encore 5 minutes en remuant de temps en temps et saler et poivrer selon son goût. Parsemer de persil et de poivre de Cayenne, transférer dans un plat chaud et garnir de fines herbes. Servir immédiatement.

# gratin de riz complet

## 4 personnes

100 g de riz complet

sel et poivre

2 cuil. à soupe de beurre
ou de margarine,
un peu plus pour graisser

1 oignon rouge, haché

2 gousses d'ail, hachées

1 carotte, en julienne

1 courgette, coupée en rondelles

75 g de mini épis de maïs, coupés
en deux dans la longueur

2 cuil. à soupe de graines
de tournesol

3 cuil. à soupe de mélange de fines
herbes hachées

100 g de mozzarella, émiettée

2 cuil. à soupe de chapelure
blonde

---

**VARIANTE**

Vous pouvez essayer
cette recette avec du riz basmati,
et parfumer avec du curry.

---

1 Préchauffer le four à 180°C (th. 6)
et graisser légèrement un plat
allant au four.

2 Porter à ébullition une casserole
d'eau salée, ajouter le riz et cuire
20 minutes. Égoutter et réserver.

3 Dans une poêle, chauffer
le beurre, ajouter l'oignon
et cuire 2 minutes sans cesser de
remuer, jusqu'à ce qu'il soit tendre.

4 Ajouter l'ail, la carotte, la courgette
et le maïs, et cuire encore
5 minutes, sans cesser de remuer.

5 Mélanger le riz, les graines
de tournesol et les fines herbes,
et incorporer dans la poêle.

6 Incorporer la moitié du fromage
et saler et poivrer selon son goût.

7 Transférer la préparation obtenue
dans le plat allant au four à l'aide
d'une cuillère et garnir de chapelure
et du fromage restant. Cuire au four
préchauffé, 25 à 30 minutes, jusqu'à
ce que le gratin soit doré.

# chili de légumes

## 4 personnes

1 aubergine, pelée (facultatif)
et coupée en rondelles de 2,5 cm
d'épaisseur

1 cuil. à soupe d'huile d'olive,
un peu plus pour graisser

1 gros oignon, finement haché

2 poivrons rouges ou jaunes,
épépinés et finement hachés

3 ou 4 gousses d'ail, finement
hachées

800 g de tomates concassées
en boîte

1 cuil. à soupe de poudre de piment
douce

½ cuil. à café de cumin en poudre

½ cuil. à café d'origan séché

sel et poivre

2 petites courgettes, coupées
en quatre dans la longueur
et émincées

400 g de haricots blancs en boîte,
rincés et égouttés

480 ml d'eau

1 cuil. à soupe de concentré
de tomates

6 oignons verts, finement hachés

100 g de cheddar, râpé

1 Huiler une face des rondelles d'aubergine. Dans une poêle, chauffer la moitié de l'huile à feu modéré, ajouter les aubergines, côté huilé vers le haut, et cuire 5 à 6 minutes, jusqu'à ce qu'elle soient dorées. Retourner, laisser dorée l'autre face et retirer de la poêle. Couper les rondelles en morceaux de la taille d'une bouchée.

2 Chauffer l'huile restante dans une cocotte, ajouter l'oignon et les poivrons, et cuire 3 à 4 minutes sans cesser de remuer, jusqu'à ce que l'oignon soit tendre sans avoir doré. Ajouter l'ail et cuire encore 2 à 3 minutes, jusqu'à ce que l'oignon dore légèrement.

3 Ajouter les tomates, la poudre de piment, le cumin et l'origan, saler et poivrer selon son goût et porter au point d'ébullition. Réduire le feu, couvrir et laisser mijoter 15 minutes.

4 Ajouter les courgettes, l'aubergine et les haricots, mouiller avec l'eau et ajouter le concentré de tomates. Porter de nouveau à ébullition, réduire le feu et couvrir. Laisser mijoter 45 minutes, jusqu'à ce que les légumes soient tendres, rectifier l'assaisonnement et ajouter de la poudre de piment selon son goût.

5 Transférer dans des assiettes chaudes, parsemer d'oignons verts et de fromage, et servir.

# haricots noirs épicés

## 4 personnes

450 g de haricots noirs secs

2 cuil. à soupe d'huile d'olive

1 oignon, haché

5 gousses d'ail, finement hachées

½ à 1 cuil. à café de cumin
   en poudre

½ à 1 cuil. à café de poudre
   de piment douce

1 poivron rouge, coupé en dés

1 carotte, coupée en dés

400 g de tomates fraîches
   ou en boîte, concassées

1 botte de coriandre, ciselée

sel et poivre

## CONSEIL

Vous pouvez utiliser des haricots
en boîte : égouttez-les et utilisez
250 ml d'eau à la place
du liquide de trempage réservé.

1 Faire tremper les haricots toute une nuit et égoutter. Mettre dans une casserole, couvrir d'eau et porter à ébullition. Laisser bouillir 10 minutes, réduire le feu et laisser mijoter 1 h 30, jusqu'à ce qu'ils soient tendres. Égoutter en réservant 250 ml de liquide.

2 Dans une poêle, chauffer l'huile, ajouter l'oignon et l'ail, et cuire 2 minutes, jusqu'à ce que l'oignon soit tendre.

3 Incorporer le cumin et la poudre de piment, cuire quelques secondes et ajouter le poivron, la carotte et les tomates. Cuire encore 5 minutes.

4 Ajouter la moitié de la coriandre et les haricots, mouiller avec le liquide de cuisson réservé et saler et poivrer selon son goût. Laisser mijoter 30 à 45 minutes, jusqu'à ce que la préparation soit colorée et ait épaissi.

5 Incorporer la coriandre restante et rectifier l'assaisonnement.

# riz complet aux fruits secs

## 4 à 6 personnes

4 cuil. à soupe de ghee
  (beurre clarifié) ou d'huile

1 gros oignon, haché

2 gousses d'ail, hachées

1 morceau de gingembre
  de 2,5 cm, finement haché

1 cuil. à café de poudre de piment

1 cuil. à café de graines de cumin

1 cuil. à soupe de pâte
  ou de poudre de curry

300 g de riz complet

1 litre de bouillon de légumes
  bouillant

400 g de tomates concassées
  en boîte

90 g de petits pois surgelés

175 g de pêches ou d'abricots secs,
  émincés

1 poivron rouge, coupé en dés

1 ou 2 petites bananes encore
  un peu vertes

60 à 90 g de noix variées grillées

sel et poivre

**1** Dans une poêle, chauffer le ghee, ajouter les oignons et cuire 3 minutes, jusqu'à ce qu'ils soient dorés.

**2** Ajouter l'ail, le gingembre, la poudre de piment, le curry, le cumin et le riz, mélanger et cuire 2 minutes à feu doux de façon à bien enrober le riz d'huile épicée.

**3** Mouiller avec le bouillon, ajouter les tomates et saler et poivrer selon son goût. Porter à ébullition, réduire le feu et couvrir. Laisser mijoter 40 minutes, jusqu'à absorption complète du liquide de cuisson.

**4** Incorporer les abricots secs, le poivron et les petits pois, couvrir et cuire encore 10 minutes.

**5** Retirer la sauteuse du feu et laisser reposer 5 minutes à couvert.

**6** Peler les bananes et les couper en rondelles. Mélanger le riz à l'aide d'une fourchette et incorporer délicatement les noix grillées et les bananes.

**7** Transférer le dans sur un plat de service et servir immédiatement.

# pilaf de millet asiatique

## 4 personnes

400 g de graines de millet

1 cuil. à soupe d'huile

1 botte d'oignons verts, hachée

1 gousse d'ail, hachée

1 cuil. à café de gingembre
    fraîchement haché

1 poivron orange, épépiné
    et coupé en dés

360 ml d'eau

1 orange

sel et poivre

150 g de dates, dénoyautées

2 cuil. à café d'huile de sésame

125 g de noix de cajou, grillées

2 cuil. à soupe de graines de potiron

salade asiatique, en accompagnement

1 Dans une casserole, mettre le millet et faire revenir 4 à 5 minutes à feu modéré en secouant la casserole de temps en temps, jusqu'à ce que les graines commencent à sauter.

2 Dans une autre casserole, chauffer l'huile, ajouter les oignons verts, l'ail, le gingembre et le poivron, et cuire 2 à 3 minutes à feu modéré en remuant de temps en temps, jusqu'à ce le tout soit tendre sans avoir doré. Ajouter le millet et mouiller avec l'eau.

3 À l'aide d'un économe, prélever le zeste de l'orange, incorporer dans la casserole avec le jus de l'orange et saler et poivrer selon son goût.

4 Porter à ébullition, réduire le feu et couvrir. Cuire à feu doux 20 minutes, jusqu'à ce que le liquide soit absorbé. Retirer la casserole du feu, incorporer les dates et l'huile de sésame, et laisser reposer 10 minutes.

5 Retirer le zeste d'orange, ajouter les noix de cajou et transférer dans un plat de service chaud. Parsemer de graines de potiron et servir accompagné de salade asiatique.

# curry de légumes

## 4 personnes

1 aubergine

225 g de navets

350 g de pommes de terre
    nouvelles

225 g de chou-fleur

225 g de champignons de Paris

1 gros oignon

3 carottes

6 cuil. à soupe de ghee
    (beurre clarifié)

2 gousses d'ail, hachées

1 ou 2 piments verts frais, hachés

4 cuil. à café de gingembre frais
    finement haché

1 cuil. à soupe de paprika

2 cuil. à café de coriandre en poudre

1 cuil. à soupe de poudre de curry
    douce

450 ml de bouillon de légumes

400 g de tomates concassées en boîte

sel

1 poivron vert, coupé en lanières

1 cuil. à soupe de maïzena

150 ml de lait de coco

2 à 3 cuil. à soupe de poudre
    d'amandes

brins de coriandre fraîche,
    en garniture

riz blanc, en accompagnement

1 Couper l'aubergine, les navets et les pommes de terre en dés d'environ 1 cm de côté, couper le chou-fleur en fleurettes et laisser les champignons entiers ou couper d'épaisses lamelles. Couper l'oignon et les carottes en rondelles.

2 Dans une casserole, chauffer le ghee, ajouter l'oignon, les navets, les pommes de terre et le chou-fleur, et cuire 3 minutes à feu doux en remuant fréquemment. Ajouter les piments, le gingembre, l'ail, le paprika, la coriandre et la poudre de curry, et cuire 1 minute sans cesser de remuer.

3 Mouiller avec le bouillon, ajouter les tomates, l'aubergine et les champignons, et saler. Couvrir et laisser mijoter 30 minutes en remuant de temps en temps. Ajouter le poivron et les carottes, couvrir et cuire 5 minutes.

4 Délayer la maïzena avec le lait de coco, ajouter aux légumes avec la poudre d'amandes et cuire 2 minutes sans cesser de remuer. Servir, garni de de coriandre fraîche avec du riz nature.

183

# curry de haricots verts et de tomates

## 4 personnes

300 ml d'huile

1 cuil. à café de graines de cumin

1 cuil. à café de graines de nigelle
et de moutarde

4 piments rouges séchés

4 tomates, coupées en tranches

1 cuil. à café de sel

1 cuil. à café de gingembre frais
haché

1 cuil. à café d'ail haché

1 cuil. à café de poudre de piment

300 ml d'eau

200 g de haricots verts, coupés

2 pommes de terre moyennes,
épluchées et coupées en dés

feuilles de coriandre fraîche,
hachées

2 piments verts, finement hachés

### CONSEIL

Les graines de moutarde sont
souvent frites dans de l'huile
ou du ghee pour faire ressortir
leur saveur avant d'être
accommodées.

1 Chauffer l'huile dans une casserole à fond épais.

2 Ajouter les graines de cumin, de nigelle et de moutarde avec les piments séchés et mélanger.

3 Incorporer les tomates et faire revenir 3 à 5 minutes.

4 Mélanger le sel, le gingembre, l'ail et la poudre de piment, et incorporer au contenu de la casserole.

5 Ajouter les haricots verts et les pommes de terre, et faire revenir environ 5 minutes.

6 Mouiller avec l'eau et laisser mijoter 10 à 15 minutes à feu doux, en remuant de temps en temps.

7 Garnir de coriandre fraîche et de piments verts frais, et servir chaud, accompagné de riz pilaf.

# curry rouge aux noix de cajou

## 4 personnes

- 250 ml de lait de coco
- 1 feuille de lime kafir
- ¼ de cuil. à café de sauce de soja claire
- 4 mini épis de maïs, coupés en deux dans la longueur
- 115 g brocoli, en fleurettes
- 115 g de haricots verts, coupés en tronçons
- 4 cuil. à soupe de noix de cajou non salées
- 15 feuilles de basilic fraîches
- 1 cuil. à soupe de coriandre hachée
- 1 cuil. à soupe de cacahuètes grillées et concassées, en garniture

### PÂTE DE CURRY ROUGE

- 7 piments rouges frais, épépinés et blanchis
- 2 cuil. à café de graines de cumin
- 2 cuil. à café de graines de coriandre
- 1 morceau de gingembre frais de 2,5 cm, haché
- ½ tige de lemon-grass, hachée
- 1 cuil. à café de sel
- zeste râpé d'un citron
- 4 gousses d'ail, hachées
- 3 échalotes, hachées
- 2 feuilles de lime kafir, ciselées
- 1 cuil. à soupe d'huile

1 Pour la pâte de curry, piler les ingrédients dans un mortier à l'aide d'un pilon, ou mixer dans un robot de cuisine quelques secondes. Réserver 3 cuillerées à soupe et conserver la pâte restante 3 semaines au réfrigérateur dans un bocal.

2 Préchauffer un wok à feu fort, ajouter la pâte de curry réservée et chauffer sans cesser de remuer jusqu'à ce que les arômes s'exhalent. Réduire le feu.

3 Ajouter le lait de coco, la feuille de lime, la sauce de soja, le maïs, les haricots, le brocoli et les noix de cajou. Porter à ébullition, réduire le feu et laisser mijoter 10 minutes, jusqu'à ce que les légumes soient cuits mais toujours croquants.

4 Retirer la feuille de lime, incorporer les feuilles de basilic et la coriandre, et transférer dans un plat de service chaud. Garnir de cacahuètes et servir immédiatement.

186

# curry de pommes de terre et d'épinards

## 4 personnes

2 gousses d'ail, finement émincées

1 morceau de 4 cm de galanga, finement râpé

1 tige de lemon-grass, hachée

1 cuil. à café de graines de coriandre

3 cuil. à soupe d'huile

2 cuil. à café de pâte de curry rouge

½ cuil. à café de curcuma

225 ml de lait de coco

250 g de pommes de terre, coupées en dés de 2 cm

125 ml de bouillon de légumes

360 g de pousses d'épinards

1 petit oignon, coupé en anneaux fins

### CONSEIL

Choisissez une variété de pomme de terre ferme, qui tienne à la cuisson, plutôt qu'une variété farineuse qui se déferait trop facilement.

1 Dans un mortier, piler l'ail, le galanga, le lemon-grass et les graines de coriandre jusqu'à obtention d'une pâte lisse.

2 Dans un wok, chauffer 2 cuillerées à soupe d'huile, ajouter la pâte obtenue et faire revenir 30 secondes. Ajouter la pâte de curry rouge, le curcuma et le lait de coco, et porter à ébullition.

3 Ajouter les pommes de terre, mouiller avec le bouillon et porter à ébullition. Réduire le feu et laisser mijoter 10 minutes, jusqu'à ce que les pommes de terre soient juste tendres.

4 Ajouter les épinards et cuire jusqu'à ce que les feuilles flétrissent.

5 Faire frire les oignons dans l'huile restante jusqu'à ce qu'ils soient croustillants et bien dorés, garnir les légumes et servir immédiatement.

# légumes biryani

## 4 personnes

1 grosse pomme de terre, en dés

100 g de carottes nouvelles

50 g de gombos, finement émincés

2 branches de céleri, coupées
en rondelles

75 g de petits champignons
de Paris, coupés en deux

1 aubergine, coupée en deux
et émincée

300 g de yaourt nature

1 cuil. à soupe de gingembre haché

2 gros oignons, râpés

4 gousses d'ail, hachées

1 cuil. à café de curcuma en poudre

1 cuil. à soupe de poudre de curry

2 cuil. à soupe de beurre

2 oignons, émincés

225 g de riz basmati

feuilles de coriandre, en garniture

1 Porter à ébullition une casserole d'eau salée, ajouter la pomme de terre, les carottes et les gombos, et cuire 7 à 8 minutes. Égoutter, transférer dans une terrine et ajouter le céleri, les champignons et l'aubergine. Bien mélanger.

2 Mélanger le gingembre, les oignons râpés, le yaourt, l'ail, le curcuma et la poudre de curry, et ajouter aux légumes. Couvrir, mettre au réfrigérateur et laisser macérer 2 heures.

3 Préchauffer le four à 190 °C (th. 6-7). Dans une poêle, chauffer le beurre, ajouter les oignons émincés et faire revenir 5 à 6 minutes, jusqu'à ce qu'ils soient dorés. En prélever une partie et la réserver pour la garniture.

4 Ajouter les légumes macérés dans la poêle, mélanger et cuire 10 minutes.

5 Porter une casserole d'eau salée à ébullition, ajouter le riz et cuire 7 minutes. Égoutter et réserver.

6 Transférer le riz dans un plat allant au four, garnir de légumes à l'aide d'une cuillère et couvrir du riz restant. Couvrir et cuire au four préchauffé, 20 à 25 minutes, jusqu'à ce que le riz soit bien tendre.

7 Transférer dans un plat de service chaud, garnir d'oignons et de feuilles de coriandre, et servir immédiatement.

# curry de noix de cajou aux épices

## 4 personnes

250 g de noix de cajou non salées

1 petit piment vert frais

1 cuil. à café de graines
de coriandre

1 cuil. à café de graines de cumin

2 gousses de cardamome, écrasées

1 cuil. à soupe d'huile de tournesol

1 oignon, finement émincé

1 gousse d'ail, hachée

1 bâtonnet de cannelle

1/2 cuil. à café de curcuma

4 cuil. à soupe de crème de coco

300 ml de bouillon de légumes,
chaud

3 feuilles de lime kafir, ciselées

riz au jasmin, en accompagnement

---

### CONSEIL

Les épices libèrent plus d'arôme
lorsqu'elles sont écrasées
au dernier moment. Vous pouvez
aussi les acheter en poudre
si vous n'avez pas de pilon.

---

1 Faire tremper les noix de cajou
dans de l'eau froide 8 heures et
égoutter. Épépiner et hacher le piment.
Piler les graines de coriandre,
les graines de cumin et les gousses
de cardamome dans un mortier.

2 Dans une poêle, chauffer l'huile,
ajouter les oignons et l'ail, et faire
revenir 2 à 3 minutes, jusqu'à ce qu'ils
soient tendres sans avoir doré. Ajouter
le piment, les épices pilées, la cannelle
et le curcuma, et faire revenir 1 minute.

3 Ajouter la crème de coco, mouiller
avec le bouillon et porter
à ébullition. Ajouter les noix de cajou

et les feuilles de lime kafir, couvrir
et réduire le feu. Cuire 20 minutes
et servir chaud avec du riz au jasmin.

# curry de légumes à la noix de coco

## 4 personnes

1 grosse aubergine, coupée
en cubes de 2,5 cm

2 cuil. à soupe de sel

2 cuil. à soupe d'huile

2 gousses d'ail, hachées

1 piment vert frais, épépiné
et finement haché

1 cuil. à café de gingembre râpé

1 oignon, émincé

2 cuil. à café de garam masala

8 gousses de cardamome

1 cuil. à café de curcuma en poudre

1 cuil. à soupe de concentré
de tomates

700 ml de bouillon de légumes

1 cuil. à soupe de jus de citron

225 de pommes de terre, en dés

225 g de chou-fleur, en fleurettes

225 g de gombos, équeutés

225 g de petits pois surgelés

150 ml de lait de coco

sel et poivre

noix de coco, en garniture

naan, en accompagnement

1 Mettre les cubes d'aubergine dans une terrine, saupoudrer de sel et laisser dégorger 30 minutes. Rincer à l'eau courante, égoutter avec du papier absorbant et réserver.

2 Dans une casserole, chauffer l'huile à feu moyen, ajouter l'ail, le piment, le gingembre, l'oignon et les épices, et cuire 4 à 5 minutes.

3 Ajouter le concentré de tomates, le bouillon, le jus de citron, les pommes de terre et le chou-fleur, mélanger et porter à ébullition. Réduire le feu, couvrir et laisser mijoter 15 minutes.

4 Incorporer l'aubergine, les gombos, les petits pois et le lait de coco, saler et poivrer selon son goût et porter de nouveau à ébullition. Baisser le feu, cuire 10 minutes sans couvrir et jeter les gousses de cardamome. Transférer dans un plat chaud et servir garni de noix de coco, avec du naan.

# balti de légumes

## 4 personnes

150 g de pois cassés

3 cuil. à soupe d'huile

1 cuil. à café de graines de nigelle

2 oignons, émincés

115 g de courgettes, émincées

115 g de pommes de terre, coupées
en dés de 1 cm

115 g de carottes, coupées
en rondelles

1 petite aubergine, émincée

225 g de tomates, concassées

300 ml d'eau

3 gousses d'ail, hachées

1 cuil. à café de cumin en poudre

1 cuil. à café de coriandre en poudre

1 cuil. à café de sel

2 piments verts frais, émincés

½ cuil. à café de garam masala

2 cuil. à soupe de coriandre fraîche
hachée

1 Mettre les pois cassés dans une casserole, couvrir d'eau légèrement salée et porter à ébullition. Réduire le feu, cuire 30 minutes à feu doux et égoutter. Réserver au chaud.

2 Dans une poêle à fond épais, chauffer l'huile, ajouter les graines de nigelle et faire revenir jusqu'à ce qu'elles commencent à éclater.

3 Ajouter les oignons et cuire à feu moyen jusqu'à ce qu'ils commencent à dorer.

4 Ajouter les pommes de terre, les carottes, l'aubergines et les courgettes, et cuire encore 2 minutes.

5 Incorporer les pois cassés réservés, l'eau, les tomates, l'ail, le cumin, la coriandre, le sel, les piments et le garam masala.

6 Porter à ébullition, réduire le feu et cuire 15 minutes à feu doux, jusqu'à ce que les légumes soient tendres.

7 Incorporer la coriandre, transférer un plat chaud et servir.

# pickles mexicains

## 6 personnes

3 cuil. à soupe d'huile

1 oignon, finement émincé

5 gousses d'ail, émincées

3 carottes, finement émincées

2 piments verts frais,
    jalapeño ou serrano,
    épépinés et coupés en lanières

1 petit chou-fleur, coupé
    en fleurettes

½ poivron rouge, épépiné et coupé
    en dés ou en lanières

1 branche de céleri, coupée
    en bouchées

½ cuil. à café d'origan haché

1 feuille de laurier

¼ de cuil. à café de cumin
    en poudre

5 cuil. à café de vinaigre
    de cidre

sel et poivre

tortillas, en accompagnement

1 Dans une poêle, chauffer l'huile, ajouter l'oignon, l'ail, les carottes, les piments, le chou-fleur, le poivron et le céleri, et faire revenir 3 à 4 minutes à feu doux en remuant de temps en temps, jusqu'à ce que les légumes soient cuits sans être tendres.

2 Ajouter l'origan, la feuille de laurier, le cumin et le vinaigre, saler et poivrer selon son goût et couvrir les légumes d'eau. Cuire encore 5 à 10 minutes, jusqu'à ce que les légumes soient tendres mais toujours fermes sous la dent.

3 Rectifier l'assaisonnement, laisser refroidir et servir avec des tortillas mexicaines. Conserver 2 semaines au réfrigérateur dans un bocal hermétique.

### CONSEIL

Mettez des gants pour couper les piments et ne vous frottez surtout pas les yeux pendant l'opération.

# haricots cornilles épicés

## 4 personnes

450 g d'haricots cornilles, trempés
    toute la nuit dans de l'eau froide

1 cuil. à soupe d'huile

2 oignons, hachés

1 cuil. à soupe de miel

2 cuil. à soupe de mélasse

4 cuil. à soupe de sauce de soja
    noire

1 cuil. à café de poudre de moutarde

4 cuil. à soupe de concentré
    de tomates

480 ml de bouillon de légumes

1 feuille de laurier

1 brin de romarin, de thym
    et de sauge

1 petite orange

poivre

1 cuil. à soupe de maïzena

2 poivrons rouges, coupés en dés

2 cuil. à soupe de persil frais haché,
    en garniture

pain frais, en accompagnement

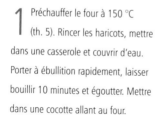

1 Préchauffer le four à 150 °C (th. 5). Rincer les haricots, mettre dans une casserole et couvrir d'eau. Porter à ébullition rapidement, laisser bouillir 10 minutes et égoutter. Mettre dans une cocotte allant au four.

2 Dans une poêle, chauffer l'huile, ajouter les oignons et faire revenir 5 minutes. Incorporer le miel, la mélasse, la sauce de soja, la poudre de moutarde et le concentré de tomates, mouiller avec le bouillon et porter à ébullition. Verser sur les haricots.

3 Nouer la feuille de laurier et les fines herbes avec du fil de cuisine et ajouter dans la cocotte. Prélever 3 morceaux de zeste d'orange, ajouter dans la cocotte et poivrer généreusement. Couvrir et cuire au four préchauffé, 1 heure.

4 Presser l'orange, délayer la maïzena dans le jus et ajouter dans la cocotte avec les poivrons. Couvrir, cuire encore 1 heure, jusqu'à ce que la sauce soit épaisse et que les haricots soient tendres, et retirer les fines herbes et le zeste d'orange.

5 Garnir de persil frais et servir immédiatement accompagné de pain frais.

# tortilla espagnole

## 4 personnes

1 kg de pommes de terre farineuses,
   finement émincées

4 cuil. à soupe d'huile

1 oignon, finement émincé

2 gousses d'ail, hachées

1 poivron vert, coupé en dés

2 tomates, épépinées et hachées

60 g de grains de maïs en boîte,
   égouttés

6 gros œufs, battus

2 cuil. à soupe de persil frais haché

sel et poivre

salade croquante,
   en accompagnement

### CONSEIL

Assurez-vous que la queue
de votre poêle résiste à la chaleur
du four. Munissez-vous
de maniques pour saisir la poêle
car elle sera très chaude.

**1** Porter à ébullition une casserole d'eau salée, ajouter les pommes de terre et cuire 5 minutes. Égoutter.

**2** Dans une poêle, chauffer l'huile, ajouter les pommes de terre et les oignons, et faire revenir 5 minutes à feu doux, jusqu'à ce que les pommes de terre soient dorées.

**3** Ajouter l'ail, le poivron, les tomates et le maïs, et mélanger.

**4** Verser les œufs dans la poêle, garnir de persil et saler et poivrer selon son goût. Cuire 10 à 12 minutes, jusqu'à ce que la base ait pris.

**5** Retirer la poêle du feu et passer au gril préchauffé 5 à 7 minutes, jusqu'à ce que la tortilla soit prise et bien dorée.

**6** Couper la tortilla en triangles ou en dés, selon son goût, et transférer dans une plat de service. Servir chaud, tiède ou froid avec de la salade croquante.

# gratin de légumes d'hiver

## 4 personnes

1 cuil. à soupe d'huile d'olive

1 gousse d'ail, hachée

8 oignons grelots, coupés en deux

2 branches de céleri, émincées

225 g de rutabaga, haché

2 carottes, émincées

½ petit chou-fleur, coupé
    en fleurettes

225 g de champignons, émincés

400 g de tomates concassées
    en boîte

55 g de lentilles rouges, rincées

2 cuil. à soupe de maïzena

3 à 4 cuil. à soupe d'eau

300 ml de bouillon de légumes

2 cuil. à café de Tabasco

2 cuil. à café d'origan frais haché

brins d'origan frais, en garniture

BOUCHÉES AU FROMAGE

225 g de farine levante,
    un peu plus pour saupoudrer

1 pincée de sel

4 cuil. à soupe de beurre

115 g de gruyère ou d'emmental,
    râpé

2 cuil. à café d'origan frais, haché

1 œuf, légèrement battu

150 ml de lait

**1** Préchauffer le four à 180 °C (th. 6). Dans une poêle, chauffer l'huile, ajouter l'ail et les oignons, et cuire 5 minutes. Ajouter le céleri, le rutabaga, les carottes et le chou-fleur, cuire 2 à 3 minutes et ajouter les champignons, les tomates et les lentilles. Délayer la maïzena dans l'eau, ajouter au contenu de la poêle et mouiller avec le bouillon. Ajouter le Tabasco et l'origan.

**2** Transférer dans un plat allant au four, couvrir et cuire au four préchauffé, 20 minutes.

**3** Pour la garniture, tamiser la farine et le sel dans une terrine, incorporer le beurre et ajouter un partie du fromage et l'origan. Battre les œufs et le lait, ajouter une partie du mélange obtenu à la préparation précédente de façon à obtenir une pâte souple et pétrir. Sur un plan fariné, abaisser la pâte de sorte qu'elle ait 1 cm d'épaisseur et couper des ronds de pâte de 5 cm de diamètre.

**4** Augmenter la température 200 °C (th. 6-7). Répartir les biscuits dans le plat, enduire du mélange d'œuf et de lait et parsemer de fromage. Cuire 10 minutes et parsemer d'origan.

# pommes de terre épicées au citron

## 4 personnes

80 ml d'huile d'olive

2 oignons rouges, coupés en huit

3 gousses d'ail, hachées

2 cuil. à café de cumin en poudre

2 cuil. à café de coriandre hachée

1 pincée de poivre de Cayenne

1 carotte, coupée en rondelles

2 petits panais, coupés en quatre

1 courgette, coupée en rondelle

450 g de pommes de terre, coupées
    en grosses rondelles

zeste et jus de 2 citrons

300 ml de bouillon de légumes

sel et poivre

2 cuil. à soupe de coriandre hachée

### CONSEIL

La sélection d'épices et de fines herbes que vous choisissez importe pour la variété que vous donnerez à votre cuisine – essayez de nouvelles épices à chaque recette. Surveillez les légumes pendant la cuisson car ils peuvent attacher. Ajoutez plus d'eau bouillante ou de bouillon.

1 Chauffer l'huile dans une cocotte allant au four.

2 Ajouter les oignons et faire revenir 3 minutes sans cesser de remuer.

3 Ajouter l'ail, cuire 30 secondes et incorporer les épices. Cuire encore 1 minute sans cesser de remuer.

4 Ajouter la carotte, le panais, la courgette et les pommes de terre, et remuer de façon à bien enrober les légumes d'huile.

5 Ajouter le jus et le zeste de citron, mouiller avec le bouillon et saler et poivrer selon son goût. Couvrir et cuire 20 à 30 minutes, en remuant souvent.

6 Retirer le couvercle, parsemer de coriandre et mélanger. Servir immédiatement.

# ragoût aux pâtes et aux haricots

## 4 personnes

260 g de haricots secs, trempés
   toute une nuit dans de l'eau
   froide et égouttés

225 g de pennes, ou autre variété
   de pâtes courtes

6 cuil. à soupe d'huile d'olive

840 ml de bouillon de légumes

2 gros oignons, émincés

2 gousses d'ail, hachées

2 feuilles de laurier

1 cuil. à café d'origan séché

1 cuil. à café de thym séché

5 cuil. à soupe de vin rouge

2 cuil. à soupe de concentré
   de tomates

2 branches de céleri, émincées

1 bulbe de fenouil, émincé

115 g de champignons, émincés

225 g de tomates, émincées

sel et poivre

1 cuil. à café de sucre brun

50 g de chapelure blanche

GARNITURE

mesclun

pain frais

1 Préchauffer le four à 180 °C (th. 6). Dans une casserole, mettre les haricots, couvrir d'eau et porter à ébullition. Cuire à gros bouillon 20 minutes, égoutter et réserver.

2 Porter à ébullition une casserole d'eau salée, ajouter les pâtes avec 1 cuillerée à soupe d'huile et cuire 3 minutes. Égoutter et réserver.

3 Transférer les haricots dans une cocotte allant au four, mouiller avec le bouillon et le vin, et incorporer l'huile restante, les oignons, l'ail, les feuilles de laurier, les fines herbes et le concentré de tomates.

4 Porter à ébullition, couvrir et cuire au four préchauffé, 2 heures.

5 Retirer la cocotte du four, ajouter les pâtes réservées, le céleri, le fenouil, les champignons et les tomates, et saler et poivrer selon son goût.

6 Incorporer le sucre, parsemer de chapelure et couvrir de nouveau. Remettre au four et cuire encore 1 heure. Servir directement dans la cocotte accompagné de mesclun et de pain frais.

# potée de lentilles au riz

## 4 personnes

200 g de lentilles rouges, rincées

55 g de riz long grain

960 ml de bouillon de légumes

160 ml de vin blanc sec

1 poireau, coupé en tronçons

3 gousses d'ail, hachées

400 g de tomates concassées
en boîte

1 cuil. à café de cumin en poudre

1 cuil. à café de poudre de piment

1 cuil. à café de garam masala

1 poivron rouge, épépiné et émincé

100 g de brocoli, en fleurettes

8 mini épis de maïs, coupés
en deux dans la longueur

50 g de haricots verts, coupés
en deux

1 cuil. à soupe de basilic frais ciselé

brins de basilic, en garniture

sel et poivre

### VARIANTE

Vous pouvez utiliser d'autres
types de riz – du riz complet ou
du riz sauvage, si vous préférez.

**1** Mettre les lentilles, le riz, le bouillon et le vin dans une cocotte allant au four et cuire 20 minutes à feu doux en remuant de temps en temps.

**2** Ajouter le poireau, l'ail, les tomates, le cumin, la poudre de piment, le garam masala, le poivron, le brocoli, les mini épis de maïs et les haricots.

**3** Porter la préparation à ébullition, réduire le feu et couvrir. Laisser mijoter 10 à 15 minutes, jusqu'à ce que les légumes soient tendres.

**4** Ajouter le basilic ciselé et saler et poivrer selon son goût.

**5** Garnir de brins de basilic et servir immédiatement directement dans la cocotte.

# potée de légumes aux pois chiches

## 4 personnes

1 cuil. à soupe d'huile d'olive

1 oignon rouge, coupé en deux
    et émincé

3 gousses d'ail, hachées

375 g de feuilles d'épinards

1 bulbe de fenouil, coupé
    en quartiers

1 poivron rouge, coupé en dés

1 cuil. à soupe de farine

480 ml de bouillon de légumes

80 ml de vin blanc sec

400 g de pois chiches en boîte,
    égouttés

1 feuille de laurier

1 cuil. à café de coriandre hachée

½ cuil. à café de paprika

sel et poivre

pluches de fenouil, en garniture

1 Dans une cocotte, chauffer l'huile, ajouter l'oignon et l'ail, et faire revenir 1 minute sans cesser de remuer. Ajouter les épinards et cuire encore 4 minutes, jusqu'à ce qu'ils soient flétris.

2 Ajouter le fenouil et le poivron, et cuire 2 minutes sans cesser de remuer.

3 Incorporer la farine et cuire encore 1 minute.

4 Mouiller avec le bouillon et le vin, ajouter les pois chiches, la feuille de laurier, la coriandre et le paprika, et couvrir. Cuire 30 minutes, saler et poivrer selon son goût et garnir de pluches de fenouil.

### CONSEIL

Vous pouvez utiliser des haricots
ou des lentilles à la place
des pois chiches.

### VARIANTE

Remplacez la coriandre par de
la noix muscade car elle se marie
très bien avec les épinards.

# hotchpotch de légumes

## 4 personnes

2 grosses pommes de terre,
    émincées

2 cuil. à soupe d'huile d'olive

1 oignon rouge, coupé en deux
    et émincé

1 poireau, émincé

2 gousses d'ail, hachées

1 carotte, coupée en rondelles

100 g de brocoli, en fleurettes

100 g de chou-fleur, en fleurettes

2 petits panais, coupés en quatre

1 cuil. à soupe de farine

720 ml de bouillon de légumes

160 ml de cidre brut

1 pomme à couteau, émincée

2 cuil. à soupe de sauge hachée

1 pince de poivre de Cayenne

sel et poivre

50 g de cheddar, râpé

1 Préchauffer le four à 190 °C (th. 6-7). Porter à ébullition une casserole d'eau salée, ajouter les pommes de terre et cuire 10 minutes. Égoutter et réserver.

2 Dans une cocotte, chauffer l'huile, ajouter l'oignon, le poireau et l'ail, et faire revenir 2 à 3 minutes. Ajouter les légumes restants et cuire 3 à 4 minutes sans cesser de remuer.

3 Incorporer la farine, cuire 1 minute et mouiller progressivement avec le bouillon et le cidre. Porter à ébullition, ajouter la pomme, la sauge, le poivre de Cayenne et saler et poivrer selon son goût. Retirer la cocotte du feu et transférer dans un plat allant au four.

### CONSEIL

Si les pommes de terre commencent à brûler trop rapidement, couvrir d'aluminium les 10 dernières minutes.

4 Disposer les rondelles de pommes de terre sur les légumes en couvrant bien.

5 Parsemer de fromage râpé et cuire au four préchauffé, 30 à 35 minutes, jusqu'à ce que les pommes de terre soient dorées et croustillantes sur les bords. Servir immédiatement.

# aubergines aigres-douces

## 4 personnes

2 grosses aubergines

6 cuil. à soupe d'huile d'olive

4 gousses d'ail, hachées

1 oignon, coupé en huit

4 grosses tomates, épépinées
    et concassées

3 cuil. à soupe de menthe hachée

160 ml de bouillon de légumes

4 cuil. à café de sucre roux

2 cuil. à soupe de vinaigre de vin
    rouge

1 cuil. à café de flocons de piment

sel et poivre

menthe fraîche, en garniture

1 À l'aide d'un couteau tranchant, couper les aubergines en gros cubes, mettre dans une passoire et bien saupoudrer de sel. Laisser dégorger 30 minutes, rincer à l'eau courante et bien égoutter. Sécher sur du papier absorbant en tapotant légèrement.

2 Dans une sauteuse, chauffer l'huile, ajouter l'aubergine et faire revenir 1 à 2 minutes sans cesser de remuer.

3 Incorporer l'ail et l'oignon, et cuire encore 2 à 3 minutes.

4 Incorporer les tomates et la menthe, mouiller avec le bouillon et couvrir. Cuire 15 à 20 minutes, jusqu'à ce que les légumes soient tendres.

5 Incorporer le sucre, le vinaigre et les flocons de piment, saler et poivrer selon son goût et cuire encore 2 à 3 minutes. Garnir de brins de menthe fraîche et servir immédiatement.

### CONSEIL

La menthe est une herbe aromatique largement utilisée dans la cuisine du Moyen-Orient. Facilement cultivée au jardin, on l'utilise pour rehausser les plats, notamment les préparations de légumes et les salades.

# gratin de chou-fleur

## 4 personnes

500 g de chou-fleur, en fleurettes

600 g de pommes de terre,
  coupées en dés

100 g de tomates cerises

persil plat frais haché, en garniture

SAUCE

25 g de beurre ou de margarine

1 poireau, émincé

1 gousse d'ail, hachée

3 cuil. à soupe de farine

300 ml de lait

85 g de mélange de fromages
  râpés, par exemple parmesan
  et gruyère

½ cuil. à café de paprika

2 cuil. à soupe de persil plat frais
  haché

sel et poivre

**1** Préchauffer le four à 180 °C (th. 6). Porter à ébullition une casserole d'eau, ajouter le chou-fleur et blanchir 10 minutes. Répéter l'opération avec les pommes de terre, égoutter et réserver.

**2** Pour la sauce, faire fondre le beurre dans une casserole, ajouter le poireau et l'ail, et cuire à feu doux 1 minute. Incorporer la farine, cuire 1 minute sans cesser de remuer et retirer du feu. Mouiller avec le lait progressivement sans cesser de remuer, ajouter 55 g de fromage râpé, le paprika et le persil, et remettre sur le feu. Porter à ébullition sans cesser de remuer et saler et poivrer selon son goût.

**3** Transférer le chou-fleur dans un plat allant au four, parsemer de tomates cerises et couvrir de pommes de terre. Napper de sauce et parsemer de fromage râpé.

**4** Cuire au four préchauffé, 20 minutes, jusqu'à ce que les légumes soient cuits et que le fromage soit bien doré, garnir de persil frais haché et servir immédiatement.

### VARIANTE

Remplacez le chou-fleur par du brocoli, ou mélangez pour créer un plat encore plus coloré.

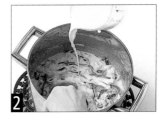

# gratin de pommes de terre au fromage

## 4 personnes

450 g de pommes de terre

sel et poivre

1 poireau, émincé

3 gousses d'ail, hachées

50 g de cheddar, râpé

50 g de mozzarella, émiettée

25 de parmesan, fraîchement
    râpé

2 cuil. à soupe de persil plat
    frais haché, un peu plus
    en garniture

150 ml de crème fraîche liquide

160 ml de lait

1 Préchauffer le four à 160 °C (th. 5-6). Porter à ébullition une casserole d'eau, ajouter les pommes de terre et cuire 10 minutes. Égoutter.

2 Couper les pommes de terre en fines rondelles, répartir dans un plat allant au four et couvrir de poireau, d'ail, de fromages et de persil. Saler et poivrer selon son goût.

3 Répéter plusieurs fois l'opération avec les ingrédients restants en terminant par une couche de fromage.

4 Mélanger la crème fraîche et le lait, saler et poivrer selon son goût et verser dans le plat.

5 Cuire au four préchauffé, 1 heure à 1 h 15, jusqu'à ce que le gratin soit doré et que les pommes de terre soient bien cuites.

6 Garnir de persil frais et servir immédiatement.

### CONSEIL

Cette recette peut être servie conjointement avec une autre recette à base de viande ou de volaille proposée dans cet ouvrage. Vous pouvez le faire cuire au four en même temps qu'un ragoût ou une potée.

# toad in the hole de légumes

## 4 personnes

PÂTE

100 g de farine

1 pincée de sel

2 œufs, battus

200 ml de lait

2 cuil. à soupe de moutarde
en grains

2 cuil. à soupe d'huile

GARNITURE

75 g de jeunes carottes, coupées
en deux dans la longueur

50 g de haricots verts

2 cuil. à soupe de beurre

2 gousses d'ail, hachées

1 oignon, coupé en huit

50 g de maïs en boîte, égoutté

2 tomates, épépinées
et grossièrement concassées

1 cuil. à café de moutarde en grains

1 cuil. à soupe de mélange de fines
herbes hachées

sel et poivre

### CONSEIL

Il est important que l'huile soit
bien chaude avant l'ajout de la
pâte de sorte que celle-ci puisse
commencer à lever vite.

1 Préchauffer le four à 200 °C
(th. 6-7). Pour la pâte, tamiser
la farine et le sel dans une terrine,
ménager un puits au centre et verser
les œufs et le lait. Battre de façon à
obtenir une pâte souple et homogène,
incorporer la moutarde et laisser
reposer.

2 Verser l'huile dans un plat allant
au four et cuire au four préchauffé
10 minutes.

3 Pour la garniture, porter à ébullition
une casserole d'eau, ajouter
les carottes et les haricots verts,
et cuire 7 minutes, jusqu'à ce qu'ils
soient tendres. Dans une poêle,
chauffer le beurre, ajouter l'ail
et l'oignon, et faire revenir 2 minutes
sans cesser de remuer.

4 Ajouter le maïs, les tomates,
la moutarde et les fines herbes,
saler et poivrer selon goût et ajouter
les carottes et les haricots verts.

5 Verser la pâte et les légumes dans
le plat et cuire 30 à 35 minutes,
jusqu'à ce que la pâte soit prise.

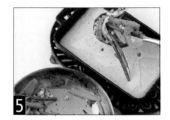

# chou-fleur et brocoli au gingembre

## 4 personnes

2 petits choux-fleurs

225 g de brocoli

sel et poivre

SAUCE

8 cuil. à soupe d'huile d'olive

4 cuil. à soupe de beurre
   ou de margarine

2 cuil. à café de gingembre râpé

jus et zeste de 2 citrons

5 cuil. à soupe de coriandre
   hachée

5 cuil. à soupe de gruyère râpé

**1** Couper les choux-fleurs en deux et les brocolis en fleurettes.

**2** Porter à ébullition une casserole d'eau, ajouter le chou-fleur et le brocoli, et cuire 10 minutes. Bien égoutter, transférer dans un plat allant au four et réserver au chaud.

**3** Pour la sauce, verser le beurre et l'huile dans une casserole, chauffer à feu doux jusqu'à ce que le beurre fonde et ajouter le gingembre râpé, la coriandre, le jus et le zeste de citron. Laisser mijoter 2 à 3 minutes en remuant de temps en temps.

**4** Saler et poivrer selon son goût, verser sur les légumes et parsemer le tout de fromage.

**5** Passer au gril préchauffé 2 à 3 minutes, jusqu'à ce que le fromage commence à fondre et soit bien doré, laisser refroidir 1 à 2 minutes et servir.

### VARIANTE

Pour une recette plus fruitée, remplacez le citron par du citron vert ou de l'orange.

# tagliatelles vertes à l'ail

## 4 personnes

2 cuil. à soupe d'huile de noix

1 botte d'oignons verts, émincés

2 gousses d'ail, finement émincées

250 g de champignons, émincés

450 g de tagliatelles vertes
et blanches fraîches

1 cuil. à soupe d'huile d'olive

225 g d'épinards surgelés,
décongelés et égouttés

115 g de fromage frais à l'ail
et aux fines herbes

4 cuil. à soupe de crème fraîche
· liquide

60 g de pistaches non salées,
hachées

2 cuil. à soupe de basilic frais
ciselé

sel et poivre

pain italien, en garniture

1 Dans une poêle, chauffer l'huile de noix, ajouter les oignons verts et l'ail, et faire revenir 1 minute, jusqu'à ce qu'ils soient fondants.

2 Incorporer les champignons, couvrir et cuire 5 minutes à feu doux, jusqu'à ce qu'ils soient fondants.

3 Porter à ébullition une casserole d'eau salée, ajouter les pâtes avec l'huile d'olive et cuire 3 à 5 minutes, jusqu'à ce qu'elles soient al dente. Égoutter et remettre dans la casserole.

4 Ajouter les épinards dans la poêle, chauffer 1 à 2 minutes et ajouter le fromage frais. Faire fondre légèrement, incorporer la crème fraîche et chauffer sans laisser bouillir.

5 Incorporer aux pâtes, saler et poivrer selon son goût et chauffer 2 à 3 minutes à feu doux sans cesser de remuer.

6 Transférer dans un plat, parsemer de pistaches et de basilic ciselé. Servir immédiatement avec le pain italien de son choix.

# gratin de macaronis aux tomates

## 4 personnes

200 g de macaronis

sel et poivre

150 g de cheddar, râpé

100 g de parmesan, râpé

1 cuil. à soupe de beurre
   ou de margarine,
   un peu plus pour beurrer

4 cuil. à soupe de chapelure
   blanche

1 cuil. à soupe de basilic frais haché

SAUCE TOMATE

1 cuil. à soupe d'huile d'olive

1 échalote, finement hachée

2 gousses d'ail, hachées

450 g de tomates concassées
   en boîte

1 cuil. à soupe de basilic frais
   haché

sel et poivre

---

### CONSEIL

Vous pouvez utiliser n'importe
quelle autre forme de petites
pâtes courtes.

---

1 Préchauffer le four à 190 °C
(th. 6-7). Pour la sauce tomate,
chauffer l'huile dans une poêle, ajouter
l'échalote et l'ail, et faire revenir
1 minute. Ajouter les tomates et le
basilic, saler et poivrer selon son goût
et cuire 10 minutes à feu moyen sans
cesser de remuer.

2 Porter à ébullition une casserole
d'eau salée, ajouter les pâtes
et cuire jusqu'à ce qu'elles soient juste
tendres. Égoutter.

3 Mélanger les deux fromages dans
une terrine.

4 Beurrer un plat allant au four,
répartir le tiers de la sauce tomate
au fond et garnir du tiers des pâtes et
du tiers du fromage. Saler et poivrer
selon son goût et répéter l'opération
avec les ingrédients restants.

5 Mélanger la chapelure et le basilic,
parsemer le gratin et ajouter des
noix de beurre ou de margarine. Cuire
au four préchauffé, 25 minutes, jusqu'à
ce que le gratin soit doré, et servir
immédiatement.

# lasagne végétariennes

## 4 personnes

1 aubergine, coupée en rondelles

3 cuil. à soupe d'huile d'olive

2 gousses d'ail, hachées

1 oignon rouge, coupé en deux
et émincé

3 poivrons de couleurs différentes,
épépinés et coupés en dés

225 g de champignons variés,
émincés

2 branches de céleri, émincées

1 courgette, coupée en dés

½ cuil. à café de poudre de piment

½ cuil. à café de cumin en poudre

2 tomates, coupées en morceaux

300 ml de coulis de tomates

2 cuil. à soupe de basilic haché

8 lasagnes vertes sans pré-cuisson

sel et poivre

BÉCHAMEL

2 cuil. à soupe de beurre
ou de margarine

1 cuil. à soupe de farine

150 ml de bouillon de légumes

300 ml de lait

75 g de cheddar ou d'emmental,
râpé

1 cuil. à café de moutarde
de Dijon

1 cuil. à soupe de basilic haché

1 œuf, battu

1 Mettre les rondelles d'aubergine dans une passoire, saupoudrer de sel et laisser dégorger 20 minutes. Rincer à l'eau froide, égoutter et réserver.

2 Dans une casserole, chauffer l'huile, ajouter l'ail et l'oignon, et faire revenir 1 à 2 minutes. Ajouter les poivrons, les champignons, le céleri et la courgette, et cuire 3 à 4 minutes sans cesser de remuer.

3 Incorporer les épices, cuire encore 1 minute et ajouter les tomates, le coulis de tomate et le basilic. Saler et poivrer selon son goût.

4 Pour la sauce, faire fondre le beurre dans une casserole, incorporer la farine et cuire 1 minute. Retirer du feu, mouiller avec le bouillon et le lait, et remettre sur le feu. Ajouter le fromage et la moutarde, porter à ébullition sans cesser de remuer de sorte que la préparation épaississe, et incorporer le basilic. Retirer du feu et ajouter l'œuf. Mettre la moitié des lasagnes dans un plat, garnir de préparation à base de légumes et d'aubergines, et répéter l'opération. Napper de béchamel, parsemer de fromage et cuire au four préchauffé, à 180 °C (th. 6), 40 minutes.

# Poissons

La variété de poissons et de fruits de mer que

l'on peut se procurer aujourd'hui est immense,

mais l'on est parfois démuni lorsqu'il s'agit de

les cuisiner. La solution pourrait être de mettre le poisson dans une cocotte pour

confectionner un merveilleux ragoût : le jambalaya créole (page 232), le ragoût

de poisson catalan (page 250) ou la bouillabaisse (page 236), bien que

d'origines variées, sont des recettes tout aussi délicieuses les unes que les

autres. Une autre solution pourrait être d'utiliser du riz pour préparer un risotto

aux crevettes et aux asperges (page 231) ou de relever avec des piments, comme

dans le curry de poisson de Goa (page 234). On peut aussi penser à des soupes,

des gratins ou des plats de pâtes. Des recettes bon marché destinées à toute la

famille aux petits plats sophistiqués pour les grandes occasions, tout est présent

dans ce chapitre.

# soupe de haddock et de cabillaud

## 4 personnes

225 g de filet de haddock,
  sans colorant

2 cuil. à soupe de beurre

1 oignon, finement haché

600 ml de lait

350 g de pommes de terre,
  coupées en dés

350 g de cabillaud, arêtes et peau
  retirées, coupé en cubes

150 ml de crème fraîche épaisse

2 cuil. à soupe de persil frais haché

jus de citron, pour assaisonner

sel et poivre

GARNITURE

rondelles de citron

brins de persil

1 Dans une sauteuse, mettre les filets de haddock, couvrir d'eau bouillante et laisser reposer 10 minutes. Égoutter en réservant 300 ml de l'eau de trempage, émietter le poisson et retirer les arêtes.

2 Dans une casserole, chauffer le beurre, ajouter l'oignon et faire revenir 10 minutes à feu doux. Ajouter le lait et les pommes de terre, et cuire encore 10 minutes.

3 Ajouter le haddock émietté et le cabillaud, et laisser mijoter 10 minutes, jusqu'à ce que le cabillaud soit tendre.

### CONSEIL

Cette recette est originaire d'Écosse. Vous pouvez remplacer le haddock par de l'églefin qui est en fait le même poisson, non fumé.

4 Retirer un tiers du poisson et des pommes de terre, et mixer dans un robot de cuisine jusqu'à obtention d'une consistance homogène, ou écraser dans un chinois au-dessus d'une terrine. Incorporer à la soupe avec la crème fraîche et le persil, saler et poivrer selon son goût et ajouter du jus de citron selon son goût. Réchauffer à feu doux et servir, garni de rondelles de citron et de persil.

# soupe de poisson à la méditerranéenne

## 4 personnes

1 cuil. à soupe d'huile d'olive

1 gros oignon, haché

2 gousses d'ail, finement hachées

425 ml de fumet de poisson

450 g de filets de poisson
à chair blanche et ferme
(cabillaud, lotte, flétan, etc.),
coupés en cubes de 2,5 cm

150 ml de vin blanc sec

1 brin de thym, de romarin
et d'origan

450 g de moules, brossées
et nettoyées

400 g de tomates concassées
en boîte

225 g de crevettes roses ou grises,
décortiquées, décongelées
si nécessaire

1 feuille de laurier

sel et poivre

brins de thym, en garniture

ACCOMPAGNEMENT

quartiers de citron

4 tranches de pain, grillées
et frottées à l'ail

1 Dans une casserole, chauffer l'huile, ajouter l'ail et l'oignon, et faire revenir 2 à 3 minutes à feu doux, jusqu'à ce qu'ils soient tendres.

2 Mouiller avec le fumet et le vin, et porter à ébullition

3 Ajouter le poisson, les moules, la feuille de laurier et les fines herbes assemblées à l'aide de ficelle de cuisine, mélanger et cuire à feux doux 5 minutes.

4 Incorporer les tomates et les crevettes, et cuire 3 à 4 minutes, jusqu'à ce que le poisson soit cuit.

5 Retirer les herbes et les moules fermées, saler et poivrer selon son goût et répartir dans des bols chauds.

6 Garnir de brins de thym et de quartiers de citron, et servir avec du pain grillé.

# soupe mexicaine au poisson et à la tomate

## 4 personnes

5 tomates mûres

5 gousses d'ail, non pelées

500 g de lutjanidé, coupé en cubes

960 ml de fumet de poisson

    ou 2 bouillon cubes délayés

    dans de l'eau

2 à 3 cuil. à soupe d'huile d'olive

1 oignon, haché

2 piments verts, épépinés

    et finement émincés

quartiers de citron vert,

    en garniture

1 Chauffer une poêle à fond épais à feu fort, ajouter les tomates et l'ail, et cuire jusqu'à ce qu'ils commencent à noircir, ou passer au gril préchauffé ou encore cuire au four préchauffé à 190 °C (th. 6-7), 40 minutes.

2 Laisser l'ail et les tomates refroidir, retirer la peau et concasser en ajoutant les jus de cuisson. Réserver.

3 Dans une sauteuse, pocher le poisson dans le fumet à feu modéré jusqu'à ce qu'il soit ferme et opaque, retirer du feu et réserver.

4 Dans une autre poêle, chauffer l'huile, ajouter l'oignon et cuire 5 minutes, jusqu'à ce qu'il soit tendre. Ajouter le jus de cuisson du poisson et incorporer l'ail et les tomates.

5 Porter à ébullition, réduire le feu et laisser mijoter 5 minutes. Ajouter les piments.

6 Répartir les morceaux de poisson dans des bols chauds, verser la préparation précédente et garnir de quartiers de citron.

# soupe de poisson à la thaïlandaise

## 4 personnes

450 ml de bouillon de poulet

2 feuilles de lime, ciselées

3 cuil. à soupe de jus de citron

3 cuil. à soupe de sauce de poisson

2 petits piments verts forts,
    épépinés et finement hachés

8 petits champignons shiitake
    ou 8 champignons de paille,
    coupés en deux

5 cm de lemon-grass, haché

450 g de crevettes roses crues,
    décortiquées et déveinées

oignons verts, en garniture

½ cuil. à café de sucre

SAUCE TOM YAM

4 cuil. à soupe d'huile

5 gousses d'ail, finement hachées

2 gros piments rouges séchés, hachés

1 grosse échalote, finement hachée

1 cuil. à soupe de crevettes séchées
    (facultatif)

1 cuil. à soupe de sauce de poisson
    thaïe

2 cuil. à café de sucre

**1** Pour la sauce, chauffer l'huile dans une casserole, ajouter l'ail et cuire jusqu'à ce qu'il soit doré. Retirer à l'aide d'une écumoire, réserver et répéter l'opération avec l'échalote et les piments. Retirer la casserole du feu et réserver l'huile.

**2** Dans un robot de cuisine, mixer les crevettes séchées, ajouter l'ail, les piments et l'échalote réservés, et mixer de nouveau jusqu'à obtention d'une pâte homogène. Ajouter dans la casserole avec l'huile, chauffer à feu doux et incorporer la sauce de poisson et le sucre. Retirer du feu.

**3** Dans une casserole, chauffer le bouillon de poulet et 2 cuillerées

### CONSEIL

La sauce tom yam prête à l'emploi se trouve en bouteille dans les supermarchés asiatiques.

à soupe de sauce tom yam, ajouter les feuilles de lime, le lemon-grass, le jus de citron, la sauce de poisson, les piments et le sucre, et laisser mijoter 2 minutes à feu doux.

**4** Ajouter les champignons et les crevettes, cuire 2 à 3 minutes et répartir dans des bols chauds. Garnir d'oignons verts et servir la soupe immédiatement.

# soupe chinoise au crabe et au maïs

## 4 personnes

1 cuil. à soupe d'huile

1 petit oignon, finement haché

1 gousse d'ail, finement hachée

1 cuil. à café de gingembre râpé

1 petit piment rouge frais, épépiné
et finement haché

2 cuil. à soupe de xérès sec
ou d'alcool de riz

225 g de chair de crabe blanche

320 g de maïs doux en boîte,
égoutté

600 ml de bouillon de poulet

1 cuil. à soupe de sauce de soja claire

2 cuil. à soupe de coriandre fraîche
hachée

2 œufs, battus

sel et poivre

fleurs de piments, en garniture

3 Ajouter le xérès ou l'alcool de riz, cuire à feu moyen jusqu'à ce que le liquide réduise de moitié et ajouter la chair de crabe, le maïs et la sauce de soja. Mouiller avec le bouillon, porter à ébullition et laisser mijoter 5 minutes à feu doux. Incorporer la coriandre et saler et poivrer selon son goût.

4 Retirer la casserole du feu, incorporer les œufs et laisser prendre quelques secondes. Remuer pour défaire les œufs, répartir dans des bols chauds et garnir de fleurs de piments. Servir immédiatement.

1 Confectionner les fleurs de piment avec des petits piments rouges épépinés.

2 Dans une casserole, chauffer l'huile à feu doux, ajouter l'oignon et cuire 5 minutes, jusqu'à ce qu'il soit tendre. Ajouter l'ail, le gingembre et le piment, et cuire encore 1 minute.

# ragoût de fruits de mer

## 4 à 6 personnes

225 g de palourdes fraîches

700 g d'un mélange de poissons
tels que vivaneau, loup, baudroie
et rascasse

12 à 18 grosses crevettes crues

3 cuil. à soupe d'huile d'olive

1 gros oignon, finement haché

2 gousses d'ail, très finement
hachées

2 tomates, épépinées et concassées

700 ml de fumet de poisson

1 cuil. à soupe de concentré
de tomates

1 cuil. à café de thym frais haché

1 pincée de filaments de safran

1 pincée de sucre

sel et poivre

persil frais finement haché,
en garniture

**1** Dans une terrine, mettre les palourdes, couvrir d'eau légèrement salée et laisser tremper 30 minutes. Rincer à l'eau courante, frotter les coquilles pour éliminer les résidus de sable et jeter les palourdes ouvertes ou cassées.

**2** Vider les poissons, retirer la peau et les arêtes, et couper la chair en bouchées.

**3** Couper la tête des crevettes, décortiquer et déveiner à l'aide d'un couteau tranchant. Réserver les palourdes, les poissons et les crevettes.

**4** Dans une casserole, chauffer l'huile, ajouter l'oignon et faire revenir 5 minutes à feu doux sans cesser de remuer. Ajouter l'ail et faire revenir 2 minutes, jusqu'à ce que l'oignon soit juste tendre.

**5** Ajouter les tomates, le concentré de tomates, le thym, le safran et le sucre, mouiller avec le fumet et porter à ébullition sans cesser de remuer de façon à bien délayer le concentré de tomates. Réduire le feu, couvrir et laisser mijoter 15 minutes. Saler et poivrer selon son goût.

**6** Ajouter les poissons et les fruits de mer, laisser mijoter jusqu'à ce que les palourdes s'ouvrent et que la chair des poissons se délite, et jeter les palourdes qui sont restées fermées. Garnir de persil haché et servir.

# crevettes aux haricots verts

## 4 personnes

2 cuil. à soupe d'huile

3 oignons, hachés

5 gousses d'ail, hachées

5 à 7 tomates mûres, concassées

225 g de haricots verts, coupés
en morceaux de 5 cm et blanchis
1 minute à l'eau bouillante

¼ de cuil. à café de cumin
en poudre

1 pincée de poudre de quatre-épices

1 pincée de cannelle en poudre

½ à 1 piment chipotle en boîte
mariné en sauce adobo, avec
la marinade

480 ml de fumet de poisson
ou 1 bouillon cube délayé
dans de l'eau

450 g de crevettes crues,
décortiquées et déveinées

brins de coriandre, en garniture

1 citron vert coupé en quartiers,
en garniture (facultatif)

### VARIANTE

Si vous en trouvez, utilisez
des nopales en boîte, coupés
en lanières, pour ajouter
une touche exotique à la recette.

**1** Dans une poêle, chauffer l'huile, ajouter les oignons et l'ail, et cuire 5 à 10 minutes à feu doux, jusqu'à ce qu'ils soient tendres. Ajouter les tomates et cuire encore 2 minutes.

**2** Ajouter les haricots verts, le cumin, la poudre de quatre-épices, la cannelle et le piment, mouiller avec le fumet, porter à ébullition et réduire le feu. Laisser mijoter quelques minutes.

**3** Ajouter les crevettes, cuire 1 à 2 minutes et retirer la poêle du feu. Laisser les crevettes poursuivre leur cuisson dans la préparation chaude, jusqu'à ce qu'elles soient brillantes et rose vif.

**4** Servir immédiatement, garni de brins de coriandre et accompagné de quartiers de citron vert.

# calmars aux tomates et aux olives

## 4 personnes

3 cuil. à soupe d'huile d'olive vierge

900 g de calmars parés, coupés
en anneaux

sel et poivre

1 oignon, haché

3 gousses d'ail, hachées

400 g de tomates concassées
en boîte

½ à 1 piment vert frais, épépiné
et haché

1 cuil. à soupe de persil finement
haché

¼ cuil. à café de thym frais haché

¼ cuil. à café d'origan frais haché

¼ de cuil. à café de marjolaine
fraîche, hachée

1 pincée de cumin en poudre

1 pincée de poudre de quatre-épices

1 pincée de sucre

15 à 20 olives farcies au piment,
coupées en rondelles

1 cuil. à soupe de câpres

1 cuil. à soupe de coriandre hachée,
en garniture

1 Dans une poêle, chauffer l'huile, ajouter le calmar et cuire jusqu'à ce qu'il devienne opaque. Saler et poivrer selon son goût, retirer de la poêle à l'aide d'une écumoire et réserver.

2 Ajouter l'ail et l'oignon dans la poêle, cuire 5 minutes, jusqu'à ce qu'ils soient tendres, et incorporer les tomates, le piment, les fines herbes, le cumin, la poudre de quatre-épices, le sucre et les olives. Couvrir, cuire 5 à 10 minutes à feu doux, jusqu'à ce que la préparation épaississe légèrement, et retirer le couvercle. Cuire encore 5 minutes.

3 Incorporer les calmars, ajouter les câpres et chauffer.

4 Rectifier l'assaisonnement et servir immédiatement, garni de coriandre.

# moules marinières

## 4 personnes

2 kg de moules fraîches

4 cuil. à soupe d'huile d'olive

4 à 6 gousses d'ail, coupées
en deux

800 g de tomates concassées

300 ml de vin blanc sec

2 cuil. à soupe de persil plat frais
haché, un peu plus en garniture

1 cuil. à soupe d'origan frais,
finement haché

sel et poivre

pain frais, en accompagnement

1 Dans une terrine, mettre les moules, couvrir d'eau salée et laisser tremper 30 minutes. Rincer à l'eau courante et ébarber soigneusement à l'aide d'un petit couteau tranchant.

2 Jeter les moules cassées et celles qui ne se ferment pas au toucher, rincer de nouveau et réserver.

3 Dans une cocotte, chauffer l'huile, ajouter l'ail et cuire 3 minutes sans cesser de remuer. Retirer l'ail de la poêle à l'aide d'une écumoire.

4 Ajouter les tomates avec leur jus, le persil et l'origan, mouiller avec le vin et porter à ébullition. Réduire le feu, couvrir et laisser mijoter 5 minutes.

5 Ajouter les moules, couvrir et laisser mijoter 5 à 8 minutes, en secouant la cocotte régulièrement, jusqu'à ce que les moules s'ouvrent. Répartir les moules dans des assiettes et jeter celles qui sont restées fermées.

6 Saler et poivrer la sauce selon son goût, napper les moules et parsemer de persil plat haché. Servir immédiatement, accompagné de pain frais pour saucer le jus.

# paella aux fruits de mer

## 4 personnes

4 cuil. à soupe d'huile d'olive

16 crevettes roses crues, avec la queue

225 g de calmars parés et coupés
en anneaux de 1 cm

2 poivrons verts, épépinés
et émincés dans la longueur
en lanières de 1 cm d'épaisseur

1 gros oignon, finement haché

2 feuilles de laurier fraîche
ou 1 séchée

4 gousses d'ail, finement hachées

1 cuil. à café de filaments de safran

½ cuil. à café de piment séché haché

400 g de riz arborio ou de Valence

225 ml de vin blanc sec

850 ml de fumet de poisson

12 à 16 palourdes, grattées

12 à 16 grosses moules, grattées

2 cuil. à soupe de persil plat frais
haché, en décoration

SAUCE AU POIVRON ROUGE

2 à 3 cuil. à soupe d'huile d'olive

2 oignons, finement hachés

4 à 6 gousses d'ail, finement hachées

4 à 6 poivrons rouges grillés à l'huile
d'olive, ou grillés, épluchés
et hachés grossièrement

425 g de tomates concassées
en boîte, avec leur jus

1 cuil. à café ½ de paprika fort

sel

1 Pour la sauce, chauffer l'huile dans une casserole, ajouter les oignons et faire revenir 6 à 8 minutes, jusqu'à ce qu'ils soient dorés. Ajouter l'ail, faire revenir 1 minute et ajouter les ingrédients restants. Laisser mijoter 10 minutes à feu doux en remuant de temps en temps, mixer la sauce de façon à obtenir une consistance homogène et réserver au chaud.

2 Dans une poêle, chauffer la moitié de l'huile à feu vif, ajouter les crevettes et faire revenir 2 minutes. Réserver, répéter l'opération avec les calmars et réserver avec les crevettes.

3 Chauffer l'huile restante dans la poêle, ajouter les poivrons verts et l'oignon, et faire revenir 6 minutes, jusqu'à ce qu'ils soient tendres. Ajouter l'ail, le laurier, le safran et les piments, et faire revenir 30 secondes. Ajouter le riz et bien mélanger.

4 Mouiller avec le vin et le fumet, saler et poivrer selon son goût et porter à ébullition. Couvrir et laisser mijoter à feu doux 20 minutes, jusqu'à ce que le riz soit tendre et le liquide presque entièrement absorbé.

5 Ajouter les coquillages, couvrir et cuire 10 minutes, jusqu'à ce qu'ils soient ouverts. Ajouter les crevettes et les calmars, couvrir et bien chauffer. Parsemer de persil et servir nappé de sauce.

# risotto aux crevettes et aux asperges

## 4 personnes

1 litre de bouillon de légumes

375 g d'asperges, coupées
en morceaux de 5 cm

2 cuil. à soupe d'huile d'olive

1 oignon, finement haché

1 gousse d'ail, finement hachée

400 g de riz pour risotto

450 g de grosses crevettes roses,
décortiquées et déveinées

2 cuil. à soupe de tapenade

2 cuil. à soupe de basilic frais
haché

sel et poivre

copeaux de parmesan,
en garniture

1 Dans une casserole, porter
le bouillon à ébullition, ajouter
les asperges et cuire 3 minutes, jusqu'à
ce qu'elles soient juste tendres. Filtrer
la préparation, réserver le bouillon et
rincer les asperges. Égoutter et réserver.

### CONSEIL

Pour confectionner les copeaux
de parmesan, utilisez plutôt
un économe. Les morceaux
seront plus fins et incurvés.

2 Dans une sauteuse, chauffer
l'huile, ajouter l'oignon et faire
revenir 5 minutes à feu doux en
remuant de temps en temps, jusqu'à
ce qu'il soit tendre. Ajouter l'ail, cuire
encore 30 secondes et ajouter le riz.
Cuire encore 1 à 2 minutes sans cesser
de remuer de façon à bien enrober
le riz d'huile.

3 Dans une casserole, chauffer
le bouillon réservé à feu très doux
et mouiller la préparation précédente
progressivement en remuant bien
après chaque ajout et en augmentant
le feu. Il faut compter 20 à 25 minutes
de cuisson.

4 Ajouter les crevettes et les asperges,
laisser mijoter 5 minutes à feu
moyen, jusqu'à ce que les crevettes
et le riz soient bien tendres, et retirer
la sauteuse du feu.

5 Incorporer la tapenade et le basilic,
saler et poivrer selon son goût
et laisser reposer 1 minute. Garnir
de copeaux de parmesan et servir
immédiatement.

# jambalaya créole

## 6 à 8 personnes

2 cuil. à soupe d'huile

85 g de jambon fumé, coupé
en bouchées

85 g d'andouille ou autre saucisse
de porc fumée, coupée
en bouchées

2 gros oignons, finement hachés

3 ou 4 branches de céleri, finement
hachées

2 poivrons verts, épépinés et coupés
en dés

2 gousses d'ail, finement hachées

225 g de blanc de poulet, sans
la peau et coupé en bouchées

4 tomates, pelées et hachées

180 ml de jus de tomate

480 ml de bouillon

450 g de riz

4 oignons verts, finement émincés

250 g de crevettes crues,
décortiquées

250 g de chair de crabe blanche cuite

12 huîtres, décoquillées avec leur jus

ASSAISONNEMENT

2 feuilles de laurier séchées

1 cuil. à café de sel

2 cuil. à café de poivre de Cayenne

1 cuil. à café d'origan séché

1 cuil. à café de poivre blanc moulu

1 cuil. à café de poivre noir

**1** Pour l'assaisonnement, mélanger les ingrédients dans une terrine.

**2** Dans une cocotte, chauffer l'huile à feu modéré, ajouter le jambon et la saucisse, et cuire 8 minutes en remuant fréquemment, jusqu'à ce qu'ils soient dorés. Sortir de la cocotte à l'aide d'une écumoire et réserver.

**3** Ajouter les oignons, le céleri et les poivrons dans la cocotte, cuire 4 minutes, jusqu'à ce qu'ils soient tendres, et incorporer l'ail haché. Retirer de la cocotte et réserver.

**4** Ajouter le poulet dans la cocotte, cuire 3 à 4 minutes, jusqu'à ce qu'il soit doré, incorporer l'assaisonnement et mélanger de façon à bien enrober le poulet. Ajouter le jambon, la saucisse et les légumes, mélanger et incorporer les tomates et le jus de tomate. Mouiller avec le bouillon et porter à ébullition.

**5** Incorporer le riz, réduire le feu et couvrir. Laisser mijoter 12 minutes, incorporer les oignons verts et les crevettes, et cuire 4 minutes.

**6** Incorporer délicatement la chair de crabe et les huîtres, cuire jusqu'à ce que le riz soit tendre et retirer du feu. Laisser reposer 3 minutes et servir immédiatement.

# curry de poisson de Goa

## 4 personnes

750 g de filet de vivaneau,
 coupé en morceaux
1 cuil. à soupe de vinaigre de cidre
1 cuil. à café de sel
1 cuil. à café de curcuma
3 cuil. à soupe d'huile
2 gousses d'ail, hachées
1 petit oignon, finement haché
2 cuil. à café de coriandre
 en poudre
1 cuil. à café de poivre de Cayenne
2 cuil. à café de paprika
2 cuil. à soupe de pulpe de tamarin
2 cuil. à soupe d'eau, bouillante
85 g de noix de coco déshydratée,
 râpée en copeaux
300 ml d'eau, chaude
riz cuit, en accompagnement

**1** Mettre le poisson et le vinaigre dans une terrine, mélanger la moitié du curcuma et du sel, et saupoudrer le poisson. Couvrir et laisser reposer 20 minutes.

**2** Dans une sauteuse, chauffer l'huile, ajouter l'ail et faire revenir jusqu'à ce qu'il soit doré. Ajouter l'oignon, cuire 3 à 4 minutes à feu doux en remuant de temps en temps, jusqu'à ce qu'il soit tendre, et ajouter la coriandre. Cuire encore 1 minute.

**3** Mélanger le poivre de Cayenne, le paprika et le curcuma et le sel restants, ajouter 2 cuillerées à soupe d'eau et verser la pâte obtenue dans la sauteuse. Cuire 1 à 2 minutes à feu doux.

### CONSEIL
Le tamarin, le plus souvent vendu en blocs de pulpe séchée, confère une saveur aigre-douce.

**4** Mettre la pulpe de tamarin dans une terrine, délayer avec l'eau bouillante et remuer. Filtrer le mélange et jeter les pépins.

**5** Mettre la noix de coco et la pulpe de tamarin dans la sauteuse, remuer pour dissoudre la noix de coco et ajouter le poisson. Cuire à feu doux 4 à 5 minutes, jusqu'à ce que le poisson soit juste tendre et que la sauce épaississe, et servir immédiatement, sur un lit de riz blanc.

# curry vert de poisson

## 4 personnes

2 cuil. à soupe d'huile

1 gousse d'ail, hachée

1 petite aubergine, coupée en dés

125 ml de crème de coco

2 cuil. à soupe de sauce de poisson

1 cuil. à café de sucre

225 g de poisson blanc à chair
  ferme, coupé en morceaux
  (cabillaud, colin, flétan…)

125 ml de fumet de poisson

2 feuilles de lime, finement ciselées

15 feuilles de basilic thaïlandais
  ou de basilic ordinaire

riz ou nouilles, en accompagnement

PÂTE DE CURRY VERT

5 piments verts frais, hachés

2 cuil. à café de lemon-grass haché

1 grosse échalote, hachée

2 gousses d'ail, hachées

1 cuil. à café de gingembre frais
  ou de galanga râpé

2 brins de coriandre, hachés

½ cuil. à café de cumin en poudre

½ cuil. à café de coriandre
  en poudre

1 feuille de lime kafir, hachée

1 cuil. à café de pâte de crevettes
  (facultatif)

½ cuil. à café de sel

**1** Pour la pâte de curry, mettre les ingrédients dans un robot de cuisine, mixer jusqu'à obtention d'une pâte homogène en ajoutant un peu d'eau si nécessaire et réserver.

**2** Dans une sauteuse, chauffer l'huile, ajouter l'ail et faire revenir à feu moyen. Ajouter la pâte de curry, faire revenir quelques secondes et ajouter l'aubergine. Faire revenir encore 4 à 5 minutes.

**3** Ajouter la crème de coco, porter à ébullition et remuer jusqu'à ce qu'elle commence à épaissir. Incorporer la sauce de poisson et le sucre.

**4** Incorporer le poisson, mouiller avec le fumet et laisser mijoter 3 à 4 minutes, jusqu'à ce que le poisson soit tendre. Ajouter les feuilles de lime et le basilic, cuire encore 1 minute et servir avec du riz ou des nouilles cuits à l'eau.

# bouillabaisse

## 6 à 8 personnes

5 cuil. à soupe d'huile d'olive

2 gros oignons, finement hachés

1 poireau, finement haché

4 gousses d'ail, hachées

½ bulbe de fenouil, finement haché

5 tomates mûres, pelées et
    concassées

1 brin de thym frais

2 lanières de zeste d'orange

sel et poivre

1,5 l de fumet de poisson, bouillant

2 kg de fruits de mer, cabillaud, bar,
    ludjanidé, chair de crabe,
    crevettes crues et langoustines,
    par exemple

12 à 18 tranches de pain

SAUCE AUX POIVRONS SAFRANÉE

1 poivron rouge, épépiné et coupé
    en quatre

120 ml d'huile d'olive

1 jaune d'œuf

1 pincée de filaments de safran

1 pincée de flocons de poivron
    rouge

jus de citron, selon son goût

sel et poivre

**1** Pour la sauce, enduire le poivron d'huile d'olive, passer au gril 5 à 6 minutes de chaque côté, jusqu'à ce qu'ils soient bien grillés, et mettre dans un sac en plastique. Laisser refroidir et retirer la peau.

**2** Dans un robot de cuisine, mettre le poivron, le jaune d'œuf, le safran, les flocons de poivron et le jus de citron, saler et poivrer selon son goût et réduire en purée. Moteur en marche, ajouter quelques gouttes d'huile de façon à obtenir une consistance homogène et verser l'huile restante en filet de sorte que la préparation soit épaisse, en fluidifiant avec de l'eau chaude si nécessaire.

**3** Dans une casserole, chauffer l'huile, ajouter les oignons, le poireau, l'ail et le fenouil, et cuire 10 à 15 minutes, jusqu'à ce que le tout soit tendre et commence à dorer. Ajouter les tomates, le thym et le zeste d'orange, saler et poivrer selon son goût et cuire encore 5 minutes, jusqu'à ce que les tomates se délitent.

**4** Mouiller avec le bouillon, porter à ébullition et laisser mijoter 10 minutes, jusqu'à ce que les légumes soient tendres. Ajouter les fruits de mer, porter de nouveau à ébullition et réduire le feu. Cuire encore 10 minutes, jusqu'à ce que les fruits de mer soient tendres.

**5** Faire griller les tranches de pain des deux côtés. Répartir les fruits de mer dans des assiettes à soupe, verser la soupe et servir accompagné de pain grillé et de sauce au poivron.

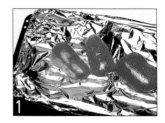

# cotriade

## 4 personnes

1 pincée de filaments de safran

600 ml de fumet de poisson

1 cuil. à soupe d'huile d'olive

2 cuil. à soupe de beurre

1 oignon, émincé

2 gousses d'ail, hachées

1 poireau, émincé

1 petit bulbe de fenouil, émincé

450 g de pommes de terre, coupées
en dés

160 ml de vin blanc sec

1 cuil. à soupe de feuilles de thym
frais

2 feuilles de laurier

4 tomates, pelées et concassées

900 g de mélange de filets
de poisson, haddock, maquereau
et ludjanidé, grossièrement hachés

2 cuil. à soupe de persil frais hachés

sel et poivre

pain frais, en accompagnement

### CONSEIL

Une fois le poisson
et les légumes cuits, vous pouvez
mixer la soupe dans un robot
de cuisine pour obtenir
un délicieux velouté de poisson.

1 Dans un mortier, piler les filaments de safran, ajouter le fumet et laisser infuser 10 minutes.

2 Dans une poêle, chauffer l'huile et le beurre, ajouter l'oignon et cuire 4 à 5 minutes à feu doux en remuant de temps en temps, jusqu'à ce qu'il soit tendre. Ajouter l'ail, le poireau, le fenouil et les pommes de terre, couvrir et cuire encore 10 à 15 minutes, jusqu'à ce que les légumes soient tendres.

3 Mouiller avec le vin, laisser mijoter 3 à 4 minutes, jusqu'à ce qu'il ait réduit de moitié, et ajouter le thym, le laurier et les tomates. Mouiller avec le fumet au safran, porter à ébullition et réduire le feu. Couvrir et laisser mijoter 15 minutes, jusqu'à ce que les légumes soient tendres.

4 Ajouter le poisson, porter de nouveau à ébullition et réduire le feu. Laisser mijoter 3 à 4 minutes, jusqu'à ce que le poisson soit tendre, ajouter le persil et saler et poivrer selon son goût. Transférer le poisson et les légumes dans un plat de service et servir accompagné de pain frais.

# marmite de crevettes à la tomate

## 4 personnes

3 oignons moyens

1 poivron vert

1 cuil. à café de gingembre frais
finement hachée

1 cuil. à café d'ail haché

1 cuil. à café de sel

1 cuil. à café de poudre
de piment

350 g de crevettes décortiquées
surgelées

1 cuil. à soupe de jus de citron

3 cuil. à soupe d'huile

400 g de tomates concassées
en boîte

feuilles de coriandre fraîche

### CONSEIL

Le rhizome de gingembre
est un tubercule d'aspect
noueux, qu'il faut éplucher
avant d'émincer, de râper
ou de hacher. On peut
le remplacer par de la poudre
de gingembre séché,
d'arôme et de saveur,
toutefois bien inférieurs.

1 À l'aide d'un couteau tranchant, émincer le poivron et les oignons.

2 Dans une terrine, mélanger le gingembre, l'ail, le sel et la poudre de piment, ajouter le jus de citron et mélanger de façon à obtenir une pâte.

3 Faire décongeler les crevettes et bien égoutter.

4 Chauffer l'huile dans une cocotte, ajouter les oignons et faire revenir jusqu'à ce qu'ils soient dorés.

5 Ajouter la pâte à base de gingembre et cuire 3 minutes à feu doux, sans cesser de remuer.

6 Incorporer le poivron vert et les tomates avec leur jus, et cuire 5 à 7 minutes en remuant de temps en temps.

7 Ajouter les crevettes, cuire encore 10 minutes en remuant de temps en temps et parsemer de feuilles de coriandre. Servir chaud.

# gratin de pâtes aux crevettes et au thon

## 4 personnes

225 g de petites pâtes tricolores

1 cuil. à soupe d'huile

1 botte d'oignons verts, hachée

175 g de champignons de Paris, émincés

400 g de thon en boîte, égoutté et émietté

175 g de crevettes cuites, décortiquées et décongelées si nécessaire

2 cuil. à soupe de maïzena

480 ml de lait écrémé

sel et poivre

4 tomates, coupées en fines rondelles

50 g de chapelure fraîche

25 g de cheddar, râpé

ACCOMPAGNEMENT

pain complet

salade croquante

**1** Préchauffer le four à 190 °C (th. 6-7). Porter une casserole d'eau salée à ébullition, ajouter les pâtes et cuire selon les instructions figurant sur le paquet. Égoutter.

**2** Dans une poêle, chauffer l'huile, ajouter les champignons et les oignons verts en réservant une poignée, et faire revenir 4 à 5 minutes sans cesser de remuer, jusqu'à ce qu'ils soient tendres.

**3** Transférer les pâtes dans une terrine, ajouter les oignons verts, les champignons, le thon et les crevettes, et réserver.

**4** Délayer la maïzena dans un peu de lait, verser le lait restant dans la poêle et ajouter la pâte de maïzena. Chauffer sans cesser de remuer jusqu'à ce que la sauce épaississe et saler et poivrer.

**5** Napper le mélange à base de pâtes de la préparation précédente, mélanger et transférer dans un plat allant au four. Disposer sur une plaque de four.

**6** Disposer les rondelles de tomates sur les pâtes, parsemer de chapelure et de fromage, et cuire au four préchauffé, 25 à 30 minutes, jusqu'à ce que le gratin soit bien doré. Servir garni d'oignons verts et accompagné de pain frais et de salade.

# lasagne aux fruits de mer

## 4 personnes

3 cuil. à soupe de beurre,
  un peu plus pour graisser
25 g de farine
1 cuil. à café de poudre de moutarde
600 ml de lait
2 cuil. à soupe d'huile d'olive
1 oignon, haché
2 gousses d'ail, finement hachées
1 cuil. à soupe de feuilles de thym
  frais
450 g de champignons, émincés
160 ml de vin blanc
400 g de tomates concassées
  en boîte
sel et poivre
450 g de mélange de filets
  de poisson, coupés en cubes
225 g de noix de Saint-Jacques,
  parées
4 à 6 feuilles de lasagnes
225 g de mozzarella, égouttée
  et émiettée

**1** Préchauffer le four à 200 °C (th. 6-7). Dans une poêle, faire fondre le beurre, ajouter la farine et la poudre de moutarde, et cuire jusqu'à obtention d'un roux. Mouiller avec le lait sans cesser de battre, porter à ébullition et réduire le feu. Laisser mijoter 2 minutes, retirer du feu et réserver. Couvrir de film alimentaire.

**2** Dans une poêle, chauffer l'huile à feu moyen, ajouter l'oignon, l'ail et le thym, et cuire 5 minutes, jusqu'à ce qu'ils soient tendres. Ajouter les champignons, cuire 5 minutes et mouiller avec le vin. Porter à ébullition, réduire le feu et laisser mijoter 15 minutes. Saler et poivrer selon son goût.

**3** Graisser un plat, répartir la moitié des tomates et garnir de poisson et de noix de Saint-Jacques.

**4** Couvrir le poisson d'une feuille de lasagnes, napper de la moitié de la sauce blanche et parsemer de la moitié de la mozzarella. Répéter

l'opération en terminant par la sauce blanche et la mozzarella.

**5** Cuire au four préchauffé, 35 à 40 minutes, jusqu'à

ce que le gratin soit doré et que le poisson soit bien cuit, retirer du four et laisser reposer 10 minutes. Servir.

# spaghettis aux fruits de mer

## 4 personnes

2 cuil. à café d'huile d'olive

1 petit oignon rouge, haché

1 cuil. à soupe de jus de citron

1 gousse d'ail, hachée

2 branches de céleri, hachées

150 ml de fumet de poisson

150 ml de vin blanc sec

1 petit bouquet d'estragon frais

225 g de spaghettis

450 g de moules fraîches, nettoyées

225 g de crevettes roses ou grises, décortiquées et veine centrale retirée

sel et poivre

225 g de petits calmars, parés et coupés en rondelles

8 petites pinces de crabe, cuites, cassées et décortiquées

2 cuil. à soupe d'estragon frais haché, en garniture

### CONSEIL

Les pinces de crabe contiennent de la chair maigre. Demandez à votre poissonnier de les casser, en laissant l'extrémité des pinces intacte.

1 Dans une casserole, chauffer l'huile, ajouter l'oignon, le jus de citron, l'ail et le céleri, et faire revenir 3 à 4 minutes, jusqu'à ce qu'ils soient tendres.

2 Mouiller avec le fumet et le vin, porter à ébullition et ajouter l'estragon et les moules. Couvrir, cuire à feu doux 5 minutes et ajouter les crevettes, les calmars et la chair de crabe. Cuire 3 à 4 minutes, jusqu'à ce que les moules s'ouvrent, que les crevettes soient roses et que les calmars soient opaques. Jeter l'estragon et les moules encore fermées.

3 Cuire les spaghettis dans une casserole selon les instructions figurant sur le paquet. Bien égoutter.

4 Ajouter les spaghettis au mélange à base de fruits de mer, remuer et saler et poivrer selon son goût.

5 Répartir dans des assiettes, arroser avec le jus de cuisson et servir garni d'estragon frais haché.

243

# salade de poisson aux agrumes

## 4 personnes

40 g de raisins secs

160 ml de vin rouge

2 cuil. à soupe d'huile d'olive

2 oignons, émincés

1 courgette, coupée en bâtonnets
de 5 cm

2 oranges

2 cuil. à café de graines
de coriandre, légèrement
écrasées

4 ludjanidés, filets levés

50 g d'anchois en boîte, égouttés

2 cuil. à soupe d'origan frais
haché

### CONSEIL

Vous pourrez vous procurez
du ludjanidé dans la plupart
des grands supermarchés,
frais ou surgelé. Si vous
le préférez, il est également
possible de servir
ce plat chaud.

1 Mettre les raisins dans une terrine, verser le vin et laisser tremper 10 minutes.

2 Dans une poêle, chauffer l'huile, ajouter les oignons et faire revenir 2 minutes.

3 Ajouter la courgette et faire revenir encore 3 minutes, jusqu'à ce qu'elle soit juste tendre.

4 À l'aide d'un économe, prélever de larges zestes d'une orange, peler les 2 oranges et séparer les quartiers.

5 Ajouter le zeste d'orange dans la poêle avec le vin, les raisins, les graines de coriandre, le poisson et les anchois, et laisser mijoter 10 à 15 minutes, jusqu'à ce que le poisson soit tendre.

6 Incorporer l'origan et les quartiers d'orange, réserver et laisser refroidir. Transférer dans une terrine, mettre au réfrigérateur 2 heures et transférer de nouveau dans un plat de service.

# fideua

## 6 personnes

3 cuil. à soupe d'huile d'olive

1 gros oignon, haché

2 gousses d'ail, finement hachées

1 pincée de filaments de safran
   écrasés

½ cuil. à café de paprika

3 tomates, pelées, épépinées
   et concassées

350 g de vermicelle aux œufs,
   coupé en morceaux de 5 cm

160 ml de vin blanc

300 ml de fumet de poisson

12 grosses crevettes crues

18 moules fraîches, grattées
   et ébarbées

350 g de calmars, nettoyés
   et coupés en anneaux

18 petites palourdes fraîches, grattées

2 cuil. à soupe de persil frais haché

sel et poivre

quartiers de citron,
   en accompagnement

1 Dans une sauteuse, chauffer l'huile, ajouter l'oignon et faire revenir 5 minutes à feu doux, jusqu'à ce qu'il soit tendre. Ajouter l'ail, cuire encore 30 secondes et incorporer le safran et le paprika. Ajouter les tomates et cuire encore 2 à 3 minutes, jusqu'à obtention d'une sauce épaisse.

### VARIANTE

La liste des produits de la mer
utilisés n'est pas restrictive.

2 Ajouter le vermicelle, remuer et mouiller avec le vin. Porter à ébullition à feu vif jusqu'à absorption.

3 Mouiller avec le fumet, ajouter les crevettes, les moules, les calmars et les palourdes, et réduire le feu. Cuire à feu doux jusqu'à ce que les moules soient ouvertes, que les crevettes et les calmars soient cuits, et que le bouillon soit absorbé. Jeter les moules non ouvertes.

4 Ajouter le persil, saler et poivrer selon son goût et répartir dans des bols chauds. Garnir de quartiers de citron et servir immédiatement.

# tajine de poisson marocain

## 4 personnes

2 cuil. à soupe d'huile d'olive

1 gros oignon, finement haché

1 pincée de filaments de safran

½ cuil. à café de cannelle en poudre

1 cuil. à café de coriandre en poudre

½ cuil. à café de cumin en poudre

½ cuil. à café de curcuma en poudre

200 g de tomates concassées
en boîte

300 ml de fumet de poisson

4 petits rougets-barbets nettoyés,
arêtes, tête et queue retirées

50 g d'olives vertes dénoyautées

1 cuil. à soupe de citron confit
haché

3 cuil. à soupe de coriandre
fraîche hachée

sel et poivre

### CONSEIL

Pour les citrons confits,
remplissez un bocal de citrons
au maximum après les avoir
incisé dans la longueur. Saturez
les citrons avec 60 g de gros sel,
le jus d'un citron et couvrez
d'eau. Laissez reposer 1 mois.

1 Dans une casserole, chauffer
l'huile d'olive à feu doux, ajouter
l'oignon et cuire 10 minutes, jusqu'à
ce qu'il soit tendre sans être dorés.
Ajouter le safran, la cannelle, la
coriandre, le cumin et le curcuma en
poudre, et cuire encore 30 secondes
sans cesser de remuer.

2 Ajouter les tomates concassées,
mouiller avec le fumet de poisson
et mélanger. Porter à ébullition, couvrir
et laisser mijoter 15 minutes. Retirer
le couvercle et laisser mijoter 20 à
35 minutes, jusqu'à ce que la sauce
épaississe.

3 Couper chaque rouget en deux,
incorporer au contenu de
la casserole et laisser mijoter à feu
doux 5 à 6 minutes, jusqu'à ce que
le poisson soit juste tendre.

4 Incorporer délicatement les olives,
le citron confit et la coriandre,
saler et poivrer selon son goût et servir
immédiatement.

247

# poêlée de morue au céleri

## 4 personnes

250 g de morue, mise à tremper
   une nuit entière

1 cuil. à soupe d'huile

4 échalotes, finement hachées

2 gousses d'ail, hachées

3 branches de céleri, hachées

400 g de tomates concassées
   en boîte

160 ml de fumet de poisson

60 g de pignons

2 cuil. à soupe d'estragon frais
   haché

2 cuil. à soupe de câpres

purée de pommes de terre
   ou pain frais,
   en accompagnement

### CONSEIL

La morue est un ingrédient
de conserve très pratique
que l'on trouve dans tous
les supermarchés. Une fois
dessalée, elle peut être
cuisinée comme un poisson
frais mais garde cependant
une saveur très prononcée,
que l'on peut ne pas aimer.

**1** Rincer la morue, égoutter et ôter la peau et les arêtes. Essuyer avec du papier absorbant et couper en cubes.

**2** Dans une poêle à fond épais, chauffer l'huile, ajouter l'ail

et les échalotes, et faire revenir 2 à 3 minutes. Ajouter le céleri, cuire encore 2 minutes et ajouter les tomates. Mouiller avec le fumet de poisson.

**3** Porter à ébullition, réduire le feu et laisser mijoter 5 minutes à feu doux.

**4** Ajouter la morue et cuire 10 minutes, jusqu'à ce qu'elle soit bien tendre.

**5** Passer les pignons au gril préchauffé 2 à 3 minutes, jusqu'à ce qu'ils soient bien dorés.

**6** Dans la poêle, incorporer l'estragon, les câpres et les pignons, et réchauffer à feu doux.

**7** Répartir la préparation obtenue dans des assiettes et servir immédiatement, accompagné d'une purée de pommes de terre ou de pain frais.

# ragoût de poissons catalan

## 4 personnes

- 5 cuil. à soupe d'huile d'olive
- 2 gros oignons, finement hachés
- 2 tomates, pelées, épépinées
  et coupées en dés
- 2 tranches de pain de mie,
  sans la croûte
- 4 amandes, grillées
- 3 gousses d'ail, hachées
- 1 homard de 350 g, cuit
- 200 g de calmars, nettoyés
- 200 g de filets de lotte, sans la peau
- 200 g de filets de cabillaud, sans
  la peau
- sel et poivre
- 1 cuil. à soupe de farine
- 6 grosses crevettes crues
- 6 gambas
- 18 moules fraîches, grattées
  et ébarbées
- 8 petites palourdes fraîches, grattées
- 1 cuil. à soupe de persil frais haché
- 120 ml de cognac

**1** Dans une poêle, chauffer 3 cuillerées à soupe d'huile d'olive, ajouter l'oignon et faire revenir 10 minutes à feu doux, jusqu'à ce qu'il soit doré. Ajouter les tomates et cuire jusqu'à ce qu'elles se désagrègent.

**2** Dans une autre poêle, chauffer 1 cuillerée à soupe d'huile, ajouter les tranches de pain de mie et faire griller. Couper en dés, mettre dans un mortier avec l'ail et les amandes, et piler jusqu'à obtention d'un mélange homogène. Réserver.

**3** Couper le homard dans la longueur, retirer le boyau intestinal noir et l'estomac, et briser les pinces. Prélever la chair, retirer la chair de la queue et couper en dés. Couper les calmars en anneaux et les filets de poissons en cubes.

**4** Saler et poivrer les morceaux de poissons et de homard selon son goût, et fariner. Chauffer un peu de l'huile restante dans la poêle et faire frire séparément les poissons, le homard, les calmars et les crevettes, en disposant les morceaux cuits dans une cocotte.

**5** Ajouter les moules, les palourdes, le persil et l'ail restant, et cuire à feu doux. Verser le cognac et flamber la préparation. Ajouter la sauce à base de tomates et assez d'eau pour couvrir, porter à ébullition et cuire 3 à 4 minutes à feu doux, jusqu'à ouverture des moules et des palourdes. Incorporer le mélange à base de pain, saler et poivrer selon son goût et cuire encore 5 minutes à feu doux.

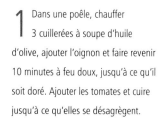

# seiche cuite dans son encre

## 4 personnes

450 g de petites seiches,
   avec leur encre (ou calmar)
4 cuil. à soupe d'huile d'olive
1 petit oignon, finement haché
2 gousses d'ail, finement hachées
1 cuil. à café de paprika
175 g de tomates mûres, mondées,
   épépinées et concassées
150 ml de vin rouge
150 ml de fumet de poisson
225 g de polenta instantanée
3 cuil. à soupe de persil plat haché
sel et poivre
brins de fines herbes fraîches,
   en garniture

1 Pour la seiche, couper les tentacules au niveau des yeux, retirer le bec au centre des tentacules et jeter la tête après l'avoir séparée du corps. Ouvrir le corps de haut en bas le long du dos, retirer l'os et les entrailles, et réserver la poche à encre. Retirer la peau, rincer et sécher le corps. Hacher grossièrement la chair, réserver. Ouvrir la poche à encre, diluer l'encre avec un peu d'eau dans une terrine et réserver.

2 Dans une casserole, chauffer l'huile, ajouter l'oignon et cuire 8 à 10 minutes à feu doux, jusqu'à ce qu'il soit tendre et commence à dorer. Ajouter l'ail et cuire 30 secondes. Ajouter la seiche, cuire 5 minutes, jusqu'à ce qu'elle prenne couleur, et ajouter le paprika. Mélanger 30 secondes, ajouter les tomates et cuire encore 2 à 3 minutes.

3 Mouiller avec le vin, le fumet et l'encre, mélanger et porter à ébullition. Laisser mijoter à découvert 25 minutes, jusqu'à ce que la seiche soit tendre et la sauce épaisse, et saler et poivrer selon son goût.

4 Cuire la polenta selon les instructions figurant, ajouter le persil et saler et poivrer selon son goût.

5 Répartir la polenta dans des assiettes, disposer la seiche et napper de sauce. Garnir de brins de fines herbes fraîches et servir immédiatement.

# gratin de poisson royal

## 4 personnes

85 g de beurre

3 échalotes, finement hachées

115 g de champignons de Paris,
coupés en deux

2 cuil. à soupe de vin blanc sec

900 g de moules fraîches, grattées
et ébarbées

300 g de filet de lotte, coupé
en dés

300 g de filet de cabillaud, sans
la peau et coupé en dés

1 volume de court-bouillon

300 g de filet de limande,
sans la peau et coupé en dés

115 g de gambas, décortiquées

4 cuil. à soupe de farine

4 cuil. à soupe de crème fraîche
épaisse

GARNITURE

1,5 kg de pommes de terre
farineuses, coupées
en morceaux

4 cuil. à soupe de beurre

2 jaunes d'œufs

125 ml de lait

1 pincée de noix muscade,
fraîchement râpée

brins de persil frais,
en garniture

**1** Pour la farce, faire fondre 25 g de beurre dans une poêle, ajouter les échalotes et cuire 5 minutes à feu vif. Ajouter les champignons et cuire 2 minutes. Mouiller avec le vin, laisser mijoter jusqu'à ce que le liquide se soit évaporé et verser dans un plat allant au four de 1,5 l. Réserver.

**2** Dans une casserole, mettre les moules et un peu d'eau, couvrir et cuire 3 à 4 minutes à feu vif, jusqu'à ce qu'elles soient ouvertes. Jeter celles qui sont restées fermées, égoutter et réserver le jus de cuisson. Décoquiller les moules et ajouter aux champignons.

**3** Porter le court-bouillon à ébullition à feu doux, ajouter la lotte et pocher 2 minutes. Ajouter le cabillaud, la limande et les gambas, pocher 2 minutes et ajouter au mélange à base de champignons.

**4** Dans une casserole, faire fondre le beurre restant, ajouter la farine et mélanger jusqu'à obtention d'une pâte. Cuire 2 minutes, incorporer progressivement le court-bouillon chaud et le jus de cuisson des moules, et mélanger jusqu'à épaississement. Ajouter la crème fraîche, laisser mijoter 15 minutes sans cesser de remuer et saler et poivrer selon son goût. Verser la préparation obtenue sur le poisson.

**5** Cuire les pommes de terre dans l'eau bouillante 15 à 20 minutes, égoutter et réduire en purée avec le beurre, les jaunes d'œufs, le lait, la noix muscade, le sel et le poivre. Couvrir le poisson de purée à l'aide d'une poche à douille ou d'une spatule en marquant la surface à l'aide d'une fourchette, cuire au four préchauffé, à 200 °C (th. 6-7), 30 minutes, jusqu'à ce que le gratin soit doré, et garnir de persil frais. Servir chaud.